LA MAISON HUMAINE

L'œuvre de Martin Gray

AU NOM DE TOUS LES MIENS
LE LIVRE DE LA VIE
LES FORCES DE LA VIE
LA VIE RENAÎTRA DE LA NUIT
LES PENSÉES DE NOTRE VIE
LE NOUVEAU LIVRE
J'ÉCRIS AUX HOMMES DE DEMAIN

*est publiée
aux Éditions Robert Laffont, Seghers
et dans des collections de poche.
Elle est traduite en dix-huit langues.*

Martin Gray
a été couronné par
le prix international
Dag Hammarskjoeld
pour le mérite littéraire.

MARTIN GRAY

LA MAISON HUMAINE

ÉDITIONS ROBERT LAFFONT
PARIS

*Les droits d'auteur de Martin Gray
(livres et films) sont utilisés
pour les œuvres à buts non lucratifs
(Fondation Dina Gray, Maison Humaine)
animées par Martin Gray.*

*On peut lui écrire
à
Martin Gray
83 141 Tanneron (France)*

© Éditions Robert Laffont, S.A., Paris, 1984
ISBN 2-221-04640-4

J'ai donné la forme d'une fable à ce qui surgit de ma mémoire.

Jadis dans une ville complètement détruite, alors que je n'étais qu'un combattant malheureux errant parmi les décombres, j'ai découvert, au milieu des ruines et dans la nuit, une petite fille.

Et j'ai essayé, en ce temps-là déjà, de construire pour cette enfant une *Maison Humaine*.

Peut-être aujourd'hui, une femme, lisant cette fable, se souviendra-t-elle du combattant de ce temps-là, comme j'ai voulu, écrivant ces pages, me souvenir de la petite fille d'alors.

M. G.

Sous le grand ciel d'une espérance
Nous abattrons les forêts de la haine
Sous le grand ciel d'une croyance
Nous construirons la maison humaine.

Au commencement...

La terre était déserte et vide. Il y avait des ténèbres au-dessus de l'Abîme et l'esprit d'Elohim planait au-dessus des eaux...

Genèse I

I

Au commencement...

J'étais seul.

Je vivais dans ce que j'imaginais être le fond d'un souterrain où régnaient le silence, l'obscurité et le froid.

Je me nourrissais de grains, peut-être était-ce du blé.

Je les recueillais en passant ma main à plat sur le sol et, entre les cailloux, il m'arrivait parfois d'en effleurer quelques-uns.

Au bout d'une longue recherche, j'en avais ainsi rassemblé plus d'une poignée.

Ils étaient durs, sans saveur, sinon celle de la matière.

En avançant ainsi accroupi, dans cette nuit immobile, je découvrais souvent des flaques d'eau.

Je m'asseyais près d'elles. Je restais là jusqu'à ce que j'aie épuisée cette petite réserve grâce à laquelle j'étanchais ma soif.

L'eau avait le même goût de poussière et de ciment.

Je dormais à même le sol. Je n'avais pas froid.

Je ne rêvais pas. Je ne me souvenais pas d'*Avant*.

Avant quoi ?

Sans doute, une époque avait existé avec son ordre, ses activités, ses foules.

Puis quelque chose s'était produit.

Et maintenant, j'étais seul, comme un survivant perdu dans un grand désert de pierres.

Au début j'avais crié, espérant qu'une voix me répondrait. Mais je ne recueillais même pas l'écho de mon appel qui s'épuisait.

J'avais donc renoncé à rechercher un semblable.

J'étais le seul être vivant.

Autour de moi la nuit était pleine.

Ni vent, ni bruit, seulement le glissement de ma main sur ce sol caillouteux comme s'il n'existait pas de terre, mais seulement des décombres.

Ainsi était le Commencement.

II

J'avais aussi perdu l'espoir et le désespoir.
J'étais sans tristesse et sans joie.
Ce n'était jamais ni le matin ou le soir.
Je dormais, je me réveillais, je marchais. Je ne savais jamais combien de temps.
Il y avait seulement le moment où je trouvais des grains, celui où je les mâchais lentement et celui où, accroupi, je buvais l'eau d'une flaque.
Et pourtant, je ne sais pourquoi, j'eus tout à coup l'envie de marcher longtemps, d'aller loin.
Je me suis donc mis en route après avoir accumulé des grains dans toutes les poches de ce vêtement que je portais et dont je ne connaissais pas la couleur.
J'ai avancé vite jusqu'à ce que la fatigue me plie. Rien ne changeait autour de moi. Ni

souffle, ni rumeur autre que celle de mes pas. Et le sol avait la même consistance dure et fragmentée.

J'ai dormi. Puis je suis reparti.

J'ai épuisé toutes mes réserves de grains mais quand j'ai eu faim et soif, et que j'ai commencé à chercher sur le sol, il m'a semblé que je n'avais pas avancé.

C'était les mêmes flaques d'eau, de place en place, et au milieu des cailloux les mêmes grains durs qu'il fallait mâcher lentement. Alors je me suis allongé.

Le monde partout n'était donc que ce chaos obscur et inerte.

J'étais le seul être vivant.

Ainsi était le Commencement.

III

Peu à peu je sentais que ce qui me restait d'*Avant,* ma voix et des mots dans ma tête s'émiettaient comme une pierre friable.

Bientôt je serais seulement un corps durci, pas différent de ce sol chaotique sur lequel je me couchais.

Un moment viendrait où je n'aurais plus faim ni soif, ni le désir de chercher des grains et de l'eau.

L'idée naquit alors, je me souviens de cet instant-là, que peut-être parmi les blocs que je touchais, ces formes dures que je ne distinguais pas dans la nuit, il y avait des corps pareils au mien, semblables à ce que je serais quand m'aurait abandonné cette volonté de demeurer ce que j'étais. Je ne serais plus alors, comme ils l'étaient déjà, j'en étais sûr, que pierre parmi les pierres.

Et cette idée qui me fit mal fut le début du vrai Commencement.

IV

La volonté peut changer le monde.

Je ne voulais pas devenir pierre, comme ceux qui m'avaient précédé.

Maintenant, en passant ma main, mes doigts sur le sol, il me semblait que souvent ces blocs étaient corps d'hommes, et que le monde froid qui m'entourait était un amoncellement de vies devenues matière.

Quelle guerre avait donc vitrifié les foules, et pourquoi étais-je resté vivant ?

L'espoir me prit au cœur comme une douleur qui fait vivre.

Peut-être, parmi ces cailloux dont je suivais du bout des doigts les formes, y avait-il quelqu'un qui, comme moi, avait conservé la fragilité de la vie ?

Dès que je fus ainsi saisi de cette espérance, je ne dormis plus.

J'allais tâtonnant comme un aveugle fébrile.

Je lançais, avec ce qui me restait de force, un cri pour que quelqu'un l'entende et me réponde.

J'accumulais des grains pour partager le jour venu avec ce compagnon qui devait exister là, dans la nuit.

J'avais maintenant la certitude de cette présence.

Il fallait que je rejoigne cet « autre » sans lequel j'étais condamné.

Car l'homme seul n'est qu'un rocher sans vie.

J'ai marché sans trêve.

J'ai crié : « Homme, frère, sœur, je suis ici. »

A une ou deux reprises, il me sembla que des voix répondaient.

Et je tombais à genoux d'espérance. Puis rien, sinon qu'à mon appel l'écho avait fait réponse.

Il existait donc, quelque part, au bout de ce couloir qui était pour moi un souterrain interminable, un mur, une colline, qui renvoyait ma voix.

J'ai commencé à marcher dans la direction de l'écho.

J'avais un but, un espoir, une volonté : je vivais.

V

Le sol marquait une légère pente que je gravissais lentement.

Je m'enfonçais dans des éboulis qui roulaient sans bruit. Quand je touchais le sol, il avait la même texture rugueuse.

Il me semblait cependant que, au fur et à mesure que je montais, l'air devenait plus vif et que la nuit cédait la place à la pénombre. Ce n'était pas encore de la lumière, mais comme une annonce.

Enfin j'atteignis le sommet, une crête étroite au-delà de laquelle je sentais que le sol descendait en pente raide, s'enfonçant dans une nuit dense. Et je craignis qu'une falaise abrupte n'interrompît la pente.

Je marchais donc sur la crête dans cette

obscurité grise à laquelle mes yeux s'accoutu-
maient. J'étais comme entouré d'une mer
profonde, et j'avançais sur cette lanière inter-
rompue par de gros blocs. L'un d'eux, plus
haut, plus large, était une sorte de cube, aux
arêtes vives. Il me fermait le passage. J'essayais
en vain de l'escalader ou de le contourner. Il
semblait posé comme un immense dé, débor-
dant de part et d'autre de la crête.

J'avais, depuis que je vivais dans la nuit, les
mains expertes. Je savais voir par les doigts.
J'explorais donc chaque face de ce rocher. Elles
étaient lisses.

J'allais abandonner, persuadé de ne rien découvrir, quand, tout à coup, ma main s'enfonça
dans le vide d'une cavité.

Elle était ronde et profonde, un peu humide.
Je me glissais à l'intérieur, éprouvant une
sensation de chaleur qui me semblait être un
souvenir.

Je n'avais pas imaginé que cette cavité, presque une grotte, pénétrerait ainsi à l'intérieur
du rocher.

J'avançais courbé, prudemment, craignant
toujours quelque gouffre.

Brusquement, il me sembla entendre comme
un battement régulier. Cela aussi, je ne le
connaissais plus.

Je me penchais. Je caressais de la main ce sol et

je touchais des cheveux, un visage, le corps menu d'un enfant.

Ce battement, c'était sa respiration saccadée.

J'effleurais son visage.

Les lèvres étaient serrées, les yeux fermés, les os étaient saillants, les épaules grêles, les côtes à fleur de peau.

Je me souviens, je fus saisi d'un tremblement.

Cet enfant était le mien.

Je m'agenouillai devant lui.

VI

Cette enfant, une petite fille aux cheveux longs, je l'ai appelée Claire.

Déjà, dans son corps, je reconnaissais la raideur glacée de la matière et la vie paraissait toute rassemblée dans cette respiration aux séquences si brèves et si heurtées que je pensais qu'elle pouvait s'interrompre tout à coup.

Et je savais que je ne survivrais pas à ce retour au silence minéral autour de moi.

Je l'ai soulevée. Elle était si légère, Claire, le corps tendu déjà.

J'ai marché ainsi sur la crête, puis j'ai commencé à descendre la pente vers les lieux d'où je venais.

J'allais plus vite.

Pour la première fois depuis... depuis *Avant* sans doute, ma tête était pleine de pensées.

26

Il me fallait maintenir Claire ici, avec moi, dans la vie. Et pour cela lui rendre cette souplesse et cette tiédeur des corps.

J'imaginais la maison qu'il me fallait construire.

Les grains qu'il me fallait accumuler pour la nourrir. Et peut-être, le moment viendrait où elle ouvrirait les yeux. Puis celui où elle parlerait.

Je m'immobilisais.

A quoi servirait son regard puisque nous étions entourés par la nuit ?

Un instant je fus tenté de me coucher près d'elle sur le sol dur et froid et d'attendre qu'il nous absorbe elle et moi.

Nous aurions pu ainsi devenir une aspérité parmi les aspérités.

J'ai serré Claire contre moi : je refusais cette fin de Nous.

Avant, avant cette nuit qui s'était étendue, après quelle guerre, quelle catastrophe, je ne le savais.

Avant avait existé, et je n'allais pas renoncer puisque je n'étais plus seul.

Claire aux cheveux si soyeux, Claire à la respiration si faible, Claire qui avait tant besoin de moi. Claire m'avait été donnée.

Il fallait donc essayer, se battre, refuser.

J'ai allongé Claire sur le sol.

J'ai recueilli les grains, je les ai écrasés en faisant une pâte que je malaxais, puis, écartant les lèvres et les dents serrées de l'enfant, j'ai, parcelle après parcelle, nourri Claire.

Et chaque fois qu'elle avalait un peu de cette nourriture, j'étais nourri aussi.

Ma bouche s'ouvrait d'instinct en même temps que la sienne.

La vie de Claire me donnait la vie.

VII

Le Monde est d'abord comme pierres
Autour de nous c'est la nuit
L'eau même a le goût de poussière
Et l'on y est enseveli

Mais Ta volonté peut changer ce monde
Un enfant va venir
Et l'espoir te prendra au cœur
Comme une douleur
Qui fait vivre

Car l'homme seul est un rocher sans vie
Et la voix a besoin d'un écho
La main d'une autre main
Pour partager le pain

Prie sans trêve, agis sans méfiance
L'enfant t'est donné pour que le monde
Enfin ait un avenir
Va, reprends la route, confiance
Le jour ne pourra plus finir.

Le premier jour

Elohim dit : « Qu'il y ait de la lumière ! » et il y eut de la lumière. Elohim vit que la lumière était bonne et Elohim sépara la lumière des ténèbres.
Elohim appela la lumière Jour et il appela les ténèbres Nuit.
Il y eut un soir, il y eut un matin : premier jour.

Genèse I

I

Je n'étais plus tout entier en moi, lisse comme une pierre.

Claire était là, vivant à peine, mais si présente que le monde entier en était changé.

Je traçais des chemins avec des balises pour, quand je m'éloignais d'elle, pouvoir la retrouver puisque la nuit à peine écornée nous enveloppait toujours.

Ma vie n'était plus cette succession sans règle, d'instants de sommeil et de veille.

Je vivais pour Claire.

Je guettais sa respiration. Je passais mes doigts sur ses yeux et de les savoir clos me déchirait.

Je partais à la recherche des grains et de l'eau.

Je fabriquais une pulpe humide qu'elle avalait avec ce qu'il me semblait être du plaisir et un commencement d'appétit.

Je restais agenouillé à côté d'elle et je crois me souvenir qu'*Avant* on appelait ce murmure qui montait à mes lèvres prière.

Alors je priais.

Je la nommais sans fin « Claire, Claire, Claire... »

Je lui parlais. Je lui faisais le récit de mes quêtes et de mes travaux.

« Claire, je suis parti pour l'eau et pour le blé. »

« Ces grains, touche-les. »

Je posais mes doigts raides au creux de ma paume où j'avais placé quelques grains.

J'expliquais.

« Claire, je vais te faire une farine aussi douce que le miel. »

Car, et c'était le miracle, au fur et à mesure que je lui parlais, des mots que j'avais oubliés remontaient à mes lèvres comme une eau de source.

Claire était l'appel, la baguette du sourcier qui tirait de moi ce qui y était enfoui depuis *Avant*.

Peu à peu, et je ne compterai pas le nombre de fois où il me fallut desserrer ses lèvres et ses dents, peu à peu, elle entrouvrit sa bouche, et je compris qu'elle attendait que je la nourrisse.

Elle eut même plusieurs fois de faibles gémis-

sements, comme des demandes ou des remer-
ciements.

Claire, Claire, Claire, mon enfant trouvée, ma
vie future, ouvre tes yeux et ta bouche, vois et
parle, marche.

Je priais pour que cela advînt.

II

Je n'avais que mes mains.

Mais l'action doit accompagner la prière.

Dans l'obscurité qui nous entourait et où j'avais établi des itinéraires et des repères, je décidais de construire un lieu pour Claire, une maison.

Il me semblait que si, dans ce monde dont j'ignorais tout, je réussissais à creuser des fondations, à élever des murs, à retrouver ainsi, par des gestes simples, l'activité d'*Avant*, alors l'avenir serait assuré, Claire sauvée.

Je commençai mon travail.

J'étais résolu.

Je n'avais aucun outil.

Je ne voyais rien.

Je pris donc dans le sol une pierre avec laquelle obstinément je heurtai les autres pierres.

Un coup, un autre coup, un autre encore, et d'autres et d'autres.

Un trou, puis une saignée.

Il me fallut jeter la première pierre. En choisir une autre. Et encore une autre.

Il y eut plusieurs moments où la fatigue me terrassa.

Il y eut l'instant où je rencontrai une nappe d'eau fraîche. Et j'en remplis mes mains.

Penché sur le visage de Claire, j'humectai ses yeux avec cette douce eau souterraine.

Claire s'était d'abord raidie puis elle commença à soupirer et sa respiration se fit plus calme.

Plusieurs fois, je couvris ainsi ses yeux de gouttes pures.

J'allais du trou où l'eau surgissait à Claire, à demi courbé, les mains jointes et pleines d'eau.

Je m'agenouillai. Je versai l'eau.

Chaque fois que je me redressais, était-ce une illusion, il me semblait que la nuit était moins dense, comme quand je m'étais trouvé sur la crête.

Je devinais la tranchée que j'avais creusée, et au-delà, dans une pénombre grise, l'étendue moutonneuse du sol.

Je travaillais avec plus d'énergie encore.

J'étais sûr qu'il existait une relation entre cette maison dont je creusais les fondations, les yeux de Claire et cette lumière encore hésitante qui se répandait.

J'expliquais cela à Claire, je lui disais qu'il lui fallait désirer voir pour que ses yeux s'ouvrent et qu'en même temps la lumière soit.

— Tout dépend chaque fois de nous, Claire. C'est toi qui vas donner aux choses leur vie en les animant de ton regard. Sans toi, sans tes yeux, sans ce qu'ils expriment, le monde demeurera mort et obscur.

Elle m'écoutait et me comprenait, j'en étais sûr, sa respiration restait comme suspendue chaque fois que je parlais.

III

— Claire, regarde.

Je glissais mon bras sous sa tête, ses cheveux descendaient jusqu'à sa taille.

Je lui murmurais une nouvelle fois :

— Ton regard neuf fera le monde bon. Claire, Claire... Je la priais d'ouvrir les yeux. Je l'assurais que la lumière naîtrait autour d'elle. J'étais sûr qu'elle m'entendait et me comprenait. A chacune de mes paroles, il me semblait qu'elle frissonnait.

— Claire, Claire...

Je passais mes doigts humides sur ses yeux. Mais elle se raidissait comme si elle n'eût pas osé encore aller au bout de sa volonté.

Alors je la laissais. Je retournais aux fondations de la maison.

La pénombre s'était atténuée. Etait-ce vrai ou bien seulement mon espoir que je voulais tant voir se réaliser, que j'imaginais la nuit devenant moins dense ?

Quoi qu'il en soit je me dirigeais avec plus d'assurance. Le grand côté faisait trente pas, le petit vingt pas. J'avais tracé deux tranchées où je commençais à m'enfoncer car j'avais creusé profond, longtemps, rejetant la terre de part et d'autre.

Parfois, je m'enfonçais dans un sol meuble. Parfois je rencontrais une nappe d'eau. J'entassais les blocs qui me permettraient de construire les murs. Et tout en creusant je voyais dans ma tête cette maison où j'allais placer une haute cheminée.

Cette image m'arrêtait : il n'y avait dans ce monde sombre aucun arbre, seulement des pierres et des blocs. Etais-je fou ? Mon rêve était-il utopie ? Je retournai auprès de Claire.

A mon approche, sa respiration devenait plus faible, comme si elle eût voulu m'entendre arriver.

Je me penchai.

— Claire, Claire, la maison sera pour toi. Nous échapperons à la nuit.

Puis, assis près d'elle, je pilais les grains que j'avais trouvés et je la nourrissais.

Elle s'apaisait. Elle dormait.
Je priais. Je disais :
— Donne-lui le regard. Donne-nous la lumière.

IV

A un moment, en me redressant, alors que je venais de creuser longtemps, dirigeant mon travail à tâtons, touchant du plat de la main les parois de la tranchée des fondations, à un moment, donc, j'aperçus l'horizon.

Je fus saisi d'un tremblement de tout le corps. Une mince bande claire courait le long du sol et faisait apparaître un relief que je n'avais jamais vu. Peut-être était-ce la colline que j'avais gravie et sur la crête de laquelle j'avais trouvé Claire.

La lumière était là, pour la première fois depuis ce qui s'était produit, qui m'avait séparé de l'*Avant,* et dont je n'avais plus aucun souvenir. Je regardais autour de moi : partout des blocs, comme une mer de pierres grises reposant sur un sol caillouteux dont j'avais

44

reconnu avec mes mains la réalité minérale et rugueuse.

Et il en était ainsi jusqu'à l'horizon, non pas un souterrain comme je l'avais cru, mais un plateau infini comme si un souffle avait touché tout ce qui se dressait, l'avait tordu, brisé, transformant en pierres dures les corps vivants, les forêts. Les mots me revenaient les uns après les autres, comme une chaîne qu'on déroule. C'était tout le paysage d'*Avant* qu'il me semblait reconnaître, mais comme s'il avait été à la fois écrasé, durci et recouvert d'une coulée grise qui s'était figée.

Ce chaos de blocs, c'était peut-être une ville, ma ville.

Moi je n'avais plus la mémoire des faits, seulement les expressions que je retrouvais et quelques images de l'horizon.

Mais *Avant*, il existait des arbres, des lacs, de larges prairies et aussi la mer.

Plus rien de tout cela ne subsistait. Je ne recueillais sur le sol ou dans la tranchée que j'avais creusée que ces grains aussi durs que des petits cailloux et dont je me nourrissais et que j'écrasais pour alimenter Claire.

Claire.

J'ai hurlé son nom.

Cette lueur étroite qui traçait l'horizon, peut-être Claire la voyait-elle enfin.

V

C'était étrange de pouvoir courir sur un sol que pour la première fois je voyais.

Je me sentais léger. Je sautais des obstacles. J'évitais des blocs. Je n'allais plus tâtonnant, les bras tendus, à demi courbé pour reconnaître le sol du bout des doigts.

Je remerciais Celui qui, par Claire, avait rendu la lumière.

J'appelais Claire.

De loin, dans cette clarté incertaine, je l'aperçus à demi soulevée, appuyée sur ses bras, la tête droite.

Je m'immobilisais.

Cette lumière faible brûlait mes yeux habitués depuis... depuis l'*événement* qui m'avait séparé d'*Avant*, à la nuit.

46

Mes yeux battaient comme deux cœurs douloureux.

J'appelais Claire une nouvelle fois.

Elle était assise, entre deux monticules faits de blocs et de lignes enchevêtrés.

Elle se tourna vers moi et je vis son visage. Elle avait la beauté naïve des enfants, une peau si blanche qu'autour d'elle tout en semblait noir. Ses cheveux étaient blonds avec des reflets plus sombres. Ses pommettes prononcées donnaient à son visage une expression tendue. Elle était maigre. Elle avait faim.

Je vis tout cela.

Mais je ne le vis qu'après.

Je n'aperçus d'abord que ses yeux grands ouverts, le regard étonné dont elle me fixait. Elle, par son regard d'enfant, elle avait donné la lumière au monde.

Ce n'était pas l'univers d'*Avant* qui renaissait, mais, grâce à elle, un autre continent où il serait possible de construire sans jamais détruire.

Je m'approchais.

Elle me regardait avancer, les yeux si grands dans son visage, comme deux sources vives, que j'en tremblais d'émotion.

— Claire, Claire, tu vois.

Je montrais cette lumière plus forte qui peu à

peu débordait de l'horizon et se répandait sur les choses.

— C'est toi, par toi.

Tout en lui murmurant ces mots, je la serrai contre moi, ma petite fille porteuse de lumière.

Elle souriait. Elle remuait les lèvres, mais aucun son ne sortait de sa gorge.

— Je t'apprendrai les mots, ai-je répété. Je te donnerai le pouvoir de la voix.

Alors, pour la première fois depuis *Avant*, je vis sur un visage d'enfant un sourire.

VI

Je ne quittai pas Claire de toute la journée :
car, et là était le miracle, maintenant le jour
existait.

La barre de lumière qui avait ouvert l'horizon
s'était élargie jusqu'à devenir cette étendue
blanche et bleutée qui recouvrait tout le
paysage comme une mer renversée.

Mes yeux ne me brûlaient plus et même les
légers picotements que j'éprouvais, je les aurais
voulus plus aigus, mille aiguilles en moi, pour
savoir que le jour était là, étendue de clarté
dont Claire s'emplissait le regard.

Elle demeurait le corps immobile, mais son
visage lentement décrivait tout l'arc de l'horizon. Et j'étais sûr que la lumière était née
d'elle, de ses yeux.

Entre Claire et la lumière il y avait la même

relation qu'entre la mer et le fleuve, la source et l'embouchure.

Qui sait vraiment où l'un commence et où l'autre finit ?

L'eau ne connaît pas de frontière.

Quand Claire eut achevé de parcourir l'horizon du regard, la tête rejetée en arrière, quand elle eut noyé ses yeux dans la lumière, elle se tourna vers moi. Ses lèvres esquissaient des sons qu'elle ne prononçait pas.

— Aujourd'hui, ai-je dit, tu vas connaître deux mots à partir desquels tous les autres viendront.

La lumière était au plus fort de sa puissance, mais je sentais qu'elle allait décroître, comme si, en sa force même, était déjà tapie la nuit. Et cette faiblesse me ravissait : le jour allait céder la place à la nuit et celle-ci à son tour mourrait pour que renaisse le jour.

Le jour, la nuit : c'était le temps qui m'était redonné, l'espoir et la crainte.

Espoir de l'attente du jour.

Crainte de la nuit.

Ou au contraire : espoir de la nuit qui vient et désespoir du jour qui s'avance.

— Deux mots, ai-je dit à Claire, deux mots qui contiennent toute la vie, apprends-les : Jour — Nuit.

J'épelais, je formais mille fois ces deux mots.

50

Il me fallait bercer Claire, lui montrer quand le crépuscule sombre commençait à couvrir la lumière, comment prononcer le mot nuit. Et d'autres matins, je lui appris le mot jour. Jour, Nuit : l'alternance de la lumière et de l'obscurité rendait à la vie sa beauté diverse. Enfin vint l'instant où Claire dit l'un et l'autre mot. Jour, Nuit.

Elle riait, tendait ses bras vers moi.

Jour, Nuit, c'était le début du monde.

VII

A toi l'enfant enfin venu
A toi ma vie future
J'apprendrai les mots du monde
Et tu m'enseigneras la bonté

Ton regard neuf et ta beauté naïve
Nous donneront la lumière
Et par toi je saurai
Que l'action doit accompagner la prière

Je te transmettrai tout ce que je sais
La science du jour et les secrets de la nuit
Pour toi je creuserai la terre
Du plus profond des puits

Mais toi, l'enfant enfin venu
Tu seras la seule source
Et tu feras surgir en l'homme
Unis comme le jour et la nuit
Le temps de l'espoir et celui de l'amour.

Le deuxième jour

Elohim dit : « Qu'il y ait un firmament au milieu des eaux et qu'il sépare les eaux d'avec les eaux. » Elohim fit donc le firmament et il sépara les eaux qui sont au-dessus du firmament.
Il en fut ainsi.
Elohim appela le firmament Cieux.
Il y eut un soir, il y eut un matin : deuxième jour.

Genèse I

I

Je dis : *Nous.*

Claire et moi, nous étions une famille humaine, elle, l'enfant ; moi, l'adulte.

Je n'osais dire encore « le père », trop de mystère dans ce mot.

Mais j'avais le courage du « *nous* ».

Claire répétait les mots que chaque jour je découvrais pour elle au fond de ma mémoire. Il y avait eu *jour* et *nuit.* Il y eut « *Nous* », puis *avenir,* et bientôt je me permettais de lui apprendre *abri* et *maison.*

Je la pris dans mes bras, elle était raide encore, et seule la tête et seuls les yeux avaient la mobilité de la vie.

Je la portai au bord de la tranchée des fondations. Puis je parcourus toujours en la

portant contre moi ce qui serait les limites de la maison.

Je comptais les pas, je dressais d'un geste les murs que j'allais construire, le toit que j'allais poser. Et je ne savais pas comment et avec quoi, mais Claire me donnait l'espoir et la certitude.

Après moi, elle dit plusieurs fois le mot maison.

Et elle souriait, enfant perdue qui devait avoir dans un repli de sa mémoire le souvenir de la cruauté et de l'abandon.

— Je suis là, avec toi, comme *Avant,* ai-je dit.

Tu ne seras plus jamais seule. Je suis là, avec toi.

Je lui caressais les cheveux. J'apprenais, mêlant mes doigts à ses mèches blondes, l'art des tresses.

Claire riait de découvrir ainsi sur ses épaules cette torsade brillante.

Puis j'appuyais Claire contre un bloc.

— Attends-moi, Claire.

Je confectionnais avec les grains pilés des boules de farine qu'elle suçait lentement.

— Claire, je vais t'apprendre à agir.

Elle tendit ses bras vers moi.

Je la soulevais, mes mains sous ses aisselles. Je voulais qu'elle marche, qu'elle ait l'agilité

de l'enfance et qu'elle se débarrasse du corset
de la peur qui la paralysait.

— Claire, marche, marche...

Elle avait les jambes raides, la crainte emplissait ses yeux. Je la sentais trembler. Il fallait
que ma voix soit plus douce, comme une
caresse maternelle.

— Va, Claire, va.

Elle avança, elle fit le premier pas.

II

Elle tomba, dix, cent, mille fois.

Elle tomba et les jours et les nuits se succédè-
rent et je n'en tenais pas le compte. Je voulais
qu'elle réussisse tant je sentais de foi en elle.
Parfois nous nous arrêtions ensemble, épuisés
et déçus. Ses jambes et ses bras refusaient de se
plier.

Son dos et ses épaules avaient la rigidité d'une
pierre.

Je la laissais se reposer et je reprenais mon
travail sur le chantier de la maison.

Le jour et la lumière rendaient l'œuvre plus
facile.

J'entassais des blocs, je taillais des pierres, je
commençais à monter les murs de soubasse-
ment.

Je voulais cette maison pour Claire. Si jamais

62

un jour, avant elle, comme cela devait survenir, il me fallait quitter cette terre, il fallait
que je lui laisse cet abri.

Elle m'observait cependant que je travaillais.
Et je lui expliquais par la voix et le geste ce que
je bâtissais. Ce mur que j'élevais, ce serait sa
protection. J'étais désespéré de la voir immobile avec tant de désir en elle de m'aider, de
venir vers moi. Je priais, je travaillais.

Je me suis enfoncé dans l'effort.

Je devais construire vite.

J'ai oublié les instants, le jour qui baissait, la
nuit qui se répandait.

Quand je me suis redressé, je n'ai plus vu
Claire.

J'ai appelé, j'ai couru. Je l'ai découverte,
recroquevillée sur le sol à quelques pas du lieu
où je l'avais laissée.

Ses mains et ses genoux étaient couverts
d'écorchures. Elle avait voulu se dresser, marcher, et elle était tombée.

Je l'ai bercée. J'ai caressé ses cheveux.

— Ma petite fille, mon enfant enfin venue, tu
es courageuse. Tu vas marcher, je le sais. Tu le
veux, je le veux, la volonté peut tout.

Tout à coup, elle a appuyé sa tête contre ma
poitrine et elle s'est mise à pleurer, des
sanglots profonds, des larmes lourdes, que
j'essuyais comme une pluie tiède, bénéfique.

Car tout son corps semblait se libérer de la raideur, comme si ces larmes étaient la preuve que la peur se dissolvait.

— Viens, viens.

J'ai pris ses mains, je l'ai guidée.

Elle a commencé à marcher.

III

Elle ne pouvait encore se tenir debout seule et je devais veiller à chacun de ses mouvements. Mais peu à peu elle perdait sa manière saccadée d'avancer et prenait plus d'assurance, elle posait son pied bien à plat sur le sol, cherchant même d'un geste de la tête à m'inciter à la laisser seule.

Je le fis. Elle tomba. Elle pleura.

Et ce fut comme je la relevais, le début de la longue averse.

Des pluies torrentielles commencèrent en effet à glisser d'un ciel uniformément gris sombre, comme si le jour n'était plus qu'une nuit plus pâle.

La pluie était lourde et tiède, elle frappait le sol avec une force telle que les gouttes éclataient avec un bruit sec.

Je pris Claire contre moi et nous cherchâmes un abri contre le mur que j'avais commencé de bâtir. La protection était précaire, la pluie changeait souvent de direction, horizontale, ou oblique, balayant l'espace, nous atteignant de plein fouet. Claire se cachait le visage à deux mains comme pour ne pas voir.

Car le sol commençait à être gorgé d'eau. Les tranchées que j'avais creusées en étaient déjà remplies, des ruisseaux se formaient, coulant le long des pentes, en une série de filets bouillonnants qui allaient se rejoindre au milieu des blocs formant un fleuve boueux. Curieusement je n'avais pas d'inquiétude. Il me semblait me souvenir de cette époque, la débâcle, quand les glaces se brisaient, que la neige commençait à fondre et que toute la nature était gorgée d'eau, annonçant la floraison du printemps. Peut-être allions-nous connaître le retour du cycle d'*Avant*, la succession des saisons et les semailles et les moissons. Je racontais cela à Claire cependant que la pluie continuait de tomber.

J'établissais avec des blocs deux sortes de colonnes sur lesquelles je plaçais des pierres plates, constituant un toit de fortune où l'eau rejaillissait. Je tordais les vêtements de Claire afin d'en chasser l'eau qui s'y était imbibée. Et puis tout à coup : il y eut le silence.

IV

Le silence.

La pluie avait brusquement cessé de tomber créant ce vide, cette absence de rumeur qui nous surprenait Claire et moi. Et après quelques instants nous entendîmes le bruit de l'eau des ruisseaux, des torrents, du fleuve qui continuaient de rouler sur la terre, alors que l'averse était terminée. Je sortis de notre abri. Et je fus saisi par la lumière. Le ciel était lavé. Sa couleur bleue était vive et crue, comme s'il n'avait jamais été gris, comme si la pluie était venue d'ailleurs que de cette surface lisse et gaie. Et le roulement de l'eau sur le sol rendait encore plus frappant ce silence asséché et joyeux du ciel.

— Claire, Claire,

Je voulais qu'elle voie cette séparation d'entre

les eaux du ciel et de la terre. La pluie était redevenue la pluie et le fleuve le fleuve. Ils ne se rejoindraient plus dans un rideau mouvant et fort comme l'averse que nous avions connue.

Je m'approchais d'un torrent qui s'était formé à peu de distance des murs que j'élevais. L'eau jaillissait d'entre les blocs comme d'une source vive. Nous aurions ainsi de l'eau à portée des mains. Il suffirait de creuser un étroit canal pour irriguer. Nous pourrions constituer un étang. Je rêvais déjà au retour d'une nature pleine de vie, alors qu'existaient seulement le jour, la nuit, la pluie, le fleuve.

Mais il me semblait que nous avait été déjà donnée l'origine de toutes choses. La succession du temps et les puissances fertiles de l'eau.

— Claire, Claire

Je plongeais mes mains dans cette eau de source qui bondissait.

J'appelais encore. Et brusquement j'eus la sensation d'une présence près de moi. Je me redressais. Claire était là, souriante, le visage lisse et pur comme un ciel d'après l'orage. Elle se tenait debout, les jambes écartées, encore incertaine, mais fière.

Maintenant j'en étais sûr : nous étions sortis de la période sombre.

Les puissances fertiles avaient pris le dessus. Je pris la main de Claire et nous marchâmes côte à côte vers ce qui serait notre maison.

V

L'eau dans le sol changeait toute chose, comme si un sang bienfaisant avait commencé de circuler. Des blocs se fragmentaient travaillés par l'eau qui dissolvait certaines des pierres. Je pouvais ainsi constituer un ciment qui soudait les pierres taillées entre elles, donnant aux murs une résistance nouvelle.
Je travaillais plus vite et Claire m'aidait.
Chaque jour qui passait la rendait plus agile. Elle courait maintenant, allant du torrent au chantier, me rapportant dans ses petites mains fines de la boue noirâtre qui me servait à coller les surfaces entre elles. Je lui parlais sans cesse, répétant les mots, désignant chaque chose, chaque action. Elle s'immobilisait les yeux grands ouverts, attentive.
Un jour, elle pointa son doigt sur ma poitrine,

70

à plusieurs reprises. Je mis longtemps à comprendre ce qu'elle désirait. Je l'interrogeais.

— Que veux-tu, Claire ?

Quand je prononçai son nom, elle se frappa du doigt.

Elle était Claire. Qui étais-je ? Je compris qu'elle désirait me nommer.

Quand j'eus prononcé à plusieurs reprises le nom de Martin, elle comprit. Mais elle n'essaya pas, comme elle le faisait pour les autres mots que je lui enseignais, de répéter mon nom. Elle parut même l'oublier, et j'en fus déçu, puis nos activités nous absorbèrent et je n'y pensai plus.

La pluie et les torrents avaient rendu la terre meuble et les grains que j'y trouvais n'avaient plus maintenant la dureté des pierres. Ils étaient d'une souplesse tendre qui permettait de les écraser entre les paumes. J'obtenais ainsi une farine douceâtre que Claire aimait. Je lui montrais comment j'opérais et ce fut elle, à partir de cet instant, qui se chargea de trouver les grains dans le sol, de les broyer et de fabriquer notre nourriture.

Elle la déposait devant moi, sous forme de boules ou encore en petites barres qu'elle avait fait sécher.

J'étais en sueur. J'avais presque terminé de

bâtir le mur. Déjà, je devais monter sur des blocs que j'avais entassés les uns sur les autres pour poser les pierres les plus hautes. Je pensais au toit. Mais il me faudrait une charpente et, aussi loin que je pouvais voir, je n'apercevais aucune forêt qui eût pu me permettre de tailler des bois.

Mais je ne fus pas longtemps tenaillé par l'inquiétude. Il me suffisait de regarder Claire. Elle allait et venait. Elle m'appelait d'un geste de la main. Les boules de farine étaient posées sur une pierre au milieu de ce qui serait la maison.

Je descendais rejoindre Claire.

Et un jour enfin, elle cria : Martin.

VI

Martin : cela faisait des jours, des nuits, et cette longue période sombre dont je ne savais pas mesurer la durée, qu'on ne me nommait plus. Depuis *Avant,* je ne connaissais plus mon identité puisque personne n'appelait mon nom.

Ne pas être nommé, c'est comme disparaître. Une enfant m'appelait, et toute ma vie reprenait son sens. Claire jouait avec mon nom, tout à la découverte de son pouvoir de nommer : Martin, Martin, Martin.

Elle chantait chaque lettre, et c'était un appel joyeux ou grave qui retentissait. Et je bondissais pour être près d'elle, et elle riait de n'avoir rien d'autre à me dire que ce nom de Martin. C'était comme si quelque chose en elle, après les larmes et la pluie, s'était ouvert.

Jour, Nuit, Avenir, Nous, Pluie, Source, Martin : elle commençait à connaître tous ces mots. Et chacun en faisait germer d'autres. Bientôt ce fut Maison que je lui avais appris depuis longtemps mais qu'elle répéta sans fin, arpentant l'espace clos entre les murs.

De son pied incliné, elle traçait sur le sol les limites dont j'imaginais qu'elle figurait des cloisons. Il lui revenait donc, à elle aussi, des souvenirs d'*Avant*. Elle me prenait par le bras, me guidait vers l'un de ces rectangles qu'elle avait tracés et disait :

— Martin, Martin, toi

Elle tapait le sol du talon. Je m'installerai donc là. Elle se plaçait au centre d'une surface voisine. Elle répétait : « Claire, Claire. » Nous étions dans deux pièces proches. Et elle effaçait le tracé qui représentait une cloison comme si elle voulait tout à coup qu'entre nous il n'y eût pas de séparation. Elle courait vers moi, se liait à moi, répétait mon nom : « Martin, Martin. » Et, prise de tremblement, elle fermait les yeux.

Je me souvenais alors de la petite fille au corps raidi que j'avais trouvée au cœur d'un bloc. De cette forme muette et close qui peu à peu s'était déliée. Et je remerciais Celui qui avait permis cette délivrance et avait brisé la gangue. Je m'agenouillai près de Claire.

74

J'aimais la voir confectionner cette nourriture à partir des grains.

Je lui disais qu'il fallait, elle et moi, prier parce que, dans ce désert de pierres, il nous avait été donné de nous retrouver, moi, Martin ; elle, l'enfant, et que depuis, l'univers des pierres s'était fracturé.

Je commençais, et je vis qu'elle remuait les lèvres avec moi, comme quelqu'un qui sait et se souvient.

VII

Si personne ne te nomme
L'univers autour de toi et toi-même
Serez des pierres dures
Comme morts

Seul le nom qui t'est donné par un enfant
Te rend figure humaine
Alors accueille l'enfant comme une eau bienfaisante
Alors cherche en lui les puissances fertiles

Apprends-lui le premier pas
Apprends-lui le premier mot
Cherche au plus profond de toi
Ce qui lui est utile
Sache qu'il n'a rien à te rendre
Il entre dans le monde comme le don suprême
Celui qu'est la vie

Et il peut tout te donner
Il est comme l'eau qui vient des cieux
Et se sépare en fleuve et en pluie

Il n'a rien à te rendre
Mais il t'irrigue de sang nouveau
L'enfant est ta sève.

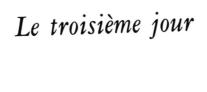

Le troisième jour

Elohim dit : « Que les eaux de dessous les cieux s'amassent en un seul lieu et qu'apparaisse la Sèche ! » Il en fut ainsi. Elohim appela la sèche Terre, et il appela l'amas des eaux Mers. Elohim vit que c'était bien.

Elohim dit : « Que la terre produise du gazon, de l'herbe émettant de la semence, des arbres fruitiers faisant du fruit selon leur espèce, qui aient en eux leur semence sur la terre ! »

Il en fut ainsi : la terre fit sortir du gazon, de l'herbe émettant de la semence selon son espèce et des arbres faisant du fruit qui ont en eux leur semence selon leur espèce.

Elohim vit que c'était bien.

Il y eut un soir, il y eut un matin : troisième jour.

Genèse I

I

Peut-être celui-là fut-il le plus beau des jours.
Les murs atteignaient maintenant leur hauteur
définitive, deux fois et demie ma taille. Ils
étaient si larges, faits en grosses pierres, que je
pouvais marcher sur leur sommet, décrivant
ainsi le périmètre de la maison.
Claire me suivait, marchant sur la terre meuble, criant parfois mon nom quand elle me
voyait hésiter.
Et la crainte qu'elle éprouvait pour moi, je la
ressentais comme une preuve de sa tendresse.
J'avais ménagé dans les murs des fenêtres et
une porte. Elles étaient étroites car je voulais
que cette demeure résiste au vent et au temps.
Un jour, alors que j'étais ainsi au sommet, me
demandant comment j'allais construire le toit
tout en ne disposant d'aucune charpente,

Claire m'appela. Elle était accroupie, non loin du torrent. Elle faisait de grands gestes sans bouger la tête, fascinée par ce qu'elle voyait.

Je descendis rapidement du mur et je courus jusqu'à Claire. Je ne vis d'abord rien. Les cheveux de Claire qui tombaient de part et d'autre de son visage masquaient le sol. Claire se dressa, me prit par la main, me forçant à me baisser.

Ainsi je vis, pour la première fois depuis *Avant,* un bouquet de pousses vertes qui avaient surgi de la terre. Elles étaient fermes, hautes, droites. Leur vigueur se mesurait même à la couleur et à cette sève qui perlait.

Peut-être cet instant-là fut-il, depuis ma rencontre avec Claire, le plus bel instant.

La terre n'était plus cet amas mort et inerte mais cette généreuse mère qui allait à nouveau porter des moissons.

L'eau avait accompli son œuvre de fécondation.

Je le disais à Claire en la serrant contre moi, en la soulevant au-dessus de moi, que la nature allait partout, comme dans une contagion bienheureuse, accomplir son œuvre de vie.

Je dis à Claire de rassembler les grains grâce auxquels nous survivions.

Nous allions semer, planter dans cette terre

84

enfin palpitante, le germe qu'elle nous ren-
drait, lourd de suc et de vie.

J'aplanis le sol autour de la maison, entre le
torrent et le mur. Là, dans cette zone humide,
nous disposions d'un champ pour notre
récolte. Claire courait devant moi, traçant dans
la terre des lignes le long desquelles je plantais
les graines.

— Nous moissonnerons, Claire, nous moissonnerons. Elle sautait autour de moi, lançant
des graines à pleine volée.

II

Nous sommes partis.

Je voulais m'assurer que la nature accomplissait partout sa germination.

J'avais parcouru dans la nuit, en tâtonnant, ces chemins couverts de blocs.

La pluie, le temps les avaient transformés en zones herbeuses et le vert donnait un visage de gaieté à cette région que j'avais connue aussi angoissante qu'un souterrain obscur.

Claire allait devant moi, comme si, elle aussi, était touchée par la grâce qu'était ce réveil de la nature.

De la voir ainsi, sautant les blocs, revenant en gambadant, comme le font tous les enfants, je mesurais le miracle qui s'était accompli.

Elle me parlait, me montrait de jeunes arbres qui avaient planté leurs racines entre des rochers et dont les feuilles commençaient d'apparaître. On distinguait même sur les branches frêles, les plus hautes, les promesses des fruits.

Je m'immobilisais : tout cela, qui me rappelait *Avant* et dont j'avais été privé jusqu'à en perdre le souvenir, me ravissait.

Miracle encore que cette profusion de la nature qui donnait ce dont nous avions besoin pour nous nourrir, qui assurait la diversité, qui se reproduisait, chaque fruit, chaque herbe, contenant ses germes pour assurer l'avenir de l'espèce.

J'expliquais cela à Claire comme nous repartions, marchant vers cette colline où je l'avais découverte. Et je faisais le récit de ma marche vers ce lieu, je lui racontais ma décision, ma volonté de ne pas accepter d'être seul. Je lui disais comment, par hasard, je m'étais aventuré dans cette cavité.

Le bloc était toujours là, sur le chemin de crête. Je le montrais à Claire. Elle voulut pénétrer dans la cavité et je m'y glissai derrière elle. De la mousse avait recouvert les parois.

Claire s'allongea, ferma les yeux, les membres raidis, bras tendus le long du corps. Puis tout à coup, elle se redressa, se mit à sangloter, m'entourant le cou de ses bras. Elle répétait mon nom, elle disait qu'elle se souvenait d'*Avant.*

Brusquement, d'une voix sourde, comme si elle voulait retenir un cri, elle prononça ce mot que je n'avais jamais dit : « Maman, maman. »

Elle caressait les parois du rocher de la main, elle me disait que sa maman l'avait cachée là, *Avant,* quand partout des hommes cherchaient à détruire ou à tuer.

— Où est maman, demanda-t-elle.

Ce n'était pas une vraie question. Elle connaissait la réponse. Elle voulait exprimer ainsi sa détresse et son souvenir.

Puis, d'elle-même, elle se glissa dehors, s'essuyant les yeux du revers de la main.

— Regarde, Martin, me dit-elle.

III

Au pied du versant de la colline s'étendait maintenant une forêt. Les arbres n'étaient pas hauts, mais serrés droits les uns contre les autres. Ils étaient si denses, leurs branches si proches, qu'on ne voyait déjà plus le sol. Je serrais le poing de détermination et de joie. J'avais devant moi la charpente du toit.

Il suffisait de travailler, et le travail n'est rien. L'homme est un projet, l'homme est une volonté et un désir.

Sans cet avenir auquel il rêve, sans ce futur qu'il veut construire, l'homme n'est qu'une écaille de la matière.

Claire, mon enfant trouvée, était le visage qu'avaient pris pour moi les lendemains. Et la maison, je l'élevais pour elle.

Je m'apprêtais à descendre, quand Claire me

retint. Elle me montra l'horizon que, pris par la proximité de la forêt, je n'avais pas observé. Je reconnaissais ce moutonnement brillant, cette plaine bleutée striée de raies plus blanches : c'était ou bien un fleuve large ou bien la mer. Je criais de joie et Claire mêla son cri au mien. La mer, le fleuve. Ce sont des horizons qui s'ouvrent au-delà un autre rivage ou bien une embouchure et une mer nouvelle.

Le monde n'était plus seulement un cercle, mais une spirale sans fin ou nous irions, Claire et moi, de découverte en découverte.

Et quand je serai enseveli dans le sommeil noir et dans l'immobilité des choses, Claire continuerait la route et l'exploration ; et son enfant, car elle aurait un enfant puisque la nature était à nouveau fertile, ne cesserait pas de marcher.

Tel était le miracle puisqu'il y avait le jour et la nuit, le germe et la moisson.

Nous avons descendu la pente et nous sommes entrés sous le couvert des arbres.

Une mousse épaisse étouffait nos pas. La lumière du jour parvenait, filtrée et fraîche. Le silence régnait. Non pas celui de la nuit angoissante, mais celui de la quiétude du repos.

J'ai grimpé le long de ces troncs encore graciles. J'avais de la peine à les écrêter, à

90

casser les branches, et je sentais que Claire me le reprochait. Mais je ne saccageais rien.

Je prenais la part de l'homme, mesurée mais nécessaire.

J'ai traîné les branches à la lisière de la forêt puis jusqu'au sommet de la colline. Ensuite, nous les fîmes rouler jusqu'à la plaine où se dressaient les murs de notre maison.

J'affûtais en les frottant l'une contre l'autre des pierres, et je commençais à tailler les troncs et les branches. Quand je levais la tête, je voyais Claire qui, près du torrent ou au milieu de notre champ, guettait la lente mais sûre germination du blé.

IV

Le bois est vivant. Je rendais lisses, en retirant l'écorce, ces branches pleines de sève. J'avais le sentiment de faire souffrir ces parties d'arbres, mais c'était la loi. La vie se nourrissait de la vie.

Je jetais les troncs et les branches d'un mur à l'autre et Claire m'aidait.

Nous travaillions vite et dans la joie. Un jour, je l'ai fait monter sur le faîte du mur. Elle s'agrippait à moi. Nous regardions ce paysage qui se transformait. Le vert gagnait sur le gris. J'apercevais les touffes des jeunes arbres pointant entre les blocs et puis, suivant les berges du torrent, des fleurs jaunes et rouges au milieu de l'herbe.

Nous restions côte à côte, Claire et moi, appuyés à ces poutres que j'avais taillées. Une brise soufflait pleine de senteurs, parfum des fleurs, odeur de résine, toutes choses vivantes. Et sur les arbres, dispersés, nous apercevions les points grenat ou vert sombre des fruits. Nous entendions le bruit de l'eau.

Toutes ces choses simples me paraissaient miraculeuses. Les hommes sont ainsi faits, je le sais maintenant, qu'ils doivent avoir perdu ce qu'ils aiment pour en mesurer le prix. Ce que j'avais vécu, ce temps de nuit et de solitude pierreuse, m'avait à jamais enseigné la sagesse.

Je savais pour toujours le prix d'une goutte d'eau.

Je savais pour toujours le prix d'un grain de blé.

Je savais pour toujours le miracle d'une vie.

J'essayais de faire comprendre à Claire ce que j'éprouvais. Je n'y avais aucune peine. Son visage exprimait la surprise heureuse, avec, cependant, de brusques bouffées de crainte, comme un souvenir imprécis qui remontait en elle sans qu'elle pût le tenir au fond.

Un soir, comme nous étions assis l'un près de l'autre, adossés au mur avec déjà au-dessus de nous cette charpente qui formait comme deux mains nouées, je la sentis toute tremblante. J'enveloppais ses épaules de mon bras.

Elle murmurait des paroles indistinctes tout en secouant la tête comme si elle voulait en chasser des mots et des images. Je la berçais. Je lui disais : « Claire, tout est neuf. » Mais après avoir prononcé cette phrase, je savais qu'elle n'était pas juste.

Il ne faut pas nier le passé.

Il faut ouvrir la mémoire comme on ouvre un fruit.

Et la mémoire d'un enfant est aussi ancienne que l'histoire de la vie.

Elle commence au premier instant, dans cette rencontre au creux du corps féminin, quand la fécondation s'accomplit.

J'ai repris ma phrase. J'ai dit :

— Claire, tout est neuf mais tu dois te souvenir, tu dois dire.

Je la berçais avec plus de tendresse encore.

— Claire, raconte-moi.

V

J'appris, phrase après phrase, à la façon dont on déroule une pelote de fil, la vie de Claire. Je disais un mot, c'était à peine une question, et cela suffisait pour qu'elle commence à parler, s'interrompant tout à coup comme si elle rencontrait dans sa mémoire un nouvel obstacle et comme s'il lui fallait mon aide, ce mot que je prononçais encore pour qu'elle pût continuer. Au début, il y avait *sa* maison. Elle la voyait, elle me montrait même une direction vers la colline, et peu importait que ce fût véritablement là qu'elle s'était dressée, *Avant*.

Au début, il y avait sa mère.

— Maman, commençait Claire.

Elle décrivait cette femme grande et fine, aux cheveux bruns tirant sur le roux, joyeuse et nostalgique à la fois qui, chaque soir, venait se pencher sur son lit et racontait à Claire une histoire qui s'étirait comme une fable sans fin, toujours recommencée. Et Claire, quand elle parlait de cela, avait les yeux brillants de plaisir et de tristesse.

— Maman, disait-elle plusieurs fois.

Elle prononçait le mot à voix basse, presque un chuchotement.

— Où est maman ? interrogeait-elle une nouvelle fois. Puis elle me parlait de ce temps de fureur quand les murs de la maison avaient commencé à trembler, que les explosions se succédaient comme un orage interminable et que les plafonds s'effondraient en écailles blanches et couvraient les cheveux de poussière.

Puis les hommes étaient venus, fracassant les portes, entrant dans les maisons comme un ouragan.

— Noirs, noirs, disait Claire. Ils étaient tout noirs.

Tout à coup, elle dit « cheveux » et se mit à sangloter, couvrant ses mèches de ses mains. Ils avaient saisi, je le compris peu à peu, sa mère par les cheveux et ils l'avaient traînée dans la rue, poussée au milieu de la foule des hommes et des femmes qu'ils faisaient mettre en rang.

96

— Moi, expliquait Claire, maman m'avait dit...

Claire était dissimulée dans une cavité de l'un des murs. Elle voyait. Elle entendait. Les hommes en noir passaient près d'elle. Les hommes en noir brutalisaient sa mère. Claire voulait crier mais aucun son ne sortait de sa bouche. Elle voulait quitter sa cachette, se coller contre le corps de sa mère, et peu importait ce qui serait arrivé, mais elle ne pouvait plus bouger. Elle était dure comme un bloc de matière, et même ses paupières s'étaient raidies, collées. Elle ne pouvait plus ni bouger, ni voir, ni parler, paralysée, refusant ce qui arrivait, qu'elle figeait au fond d'elle-même.

Claire, enfant repliée, bloc de souffrance, et que la vie lentement reprenait.

L'enfant s'ouvrait et se confiait.

L'enfant comme une fleur à nouveau éclose.

VI

Protéger l'enfant, l'aider à s'affirmer et à s'accomplir. Je ressentais ces devoirs avec force et ils m'exaltaient. Moi aussi, je pouvais dévider ma mémoire, et cela se faisait presque malgré moi au fur et à mesure que Claire parlait. Mais elle était là, frêle encore, si jeune pousse, mon enfant trouvée, que je ne devais ni écouter mes souvenirs, ni peser sur Claire par ma nostalgie ou mes inquiétudes.

— Viens.

Je soulevais Claire dans mes bras. Je la portais vers les arbres fruitiers qui avaient maintenant poussé dans les parties les plus humides. Nous cueillions des fruits, nous en écrasions d'autres, confectionnant ainsi une pulpe sucrée. Claire se barbouillait le visage, riait, et sa gaieté effaçait pour un temps les durs souvenirs d'avant. Puis je commençais avec elle à rechercher des pierres plates ou bien à faire sauter le long des blocs rocheux de larges écailles avec lesquelles je comptais recouvrir la charpente. J'expliquais à Claire le travail que j'accomplissais et nous transportions ces pierres ensemble jusqu'au pied des murs.

Ensemble : ce mot, j'en découvrais la vertu. Un homme et un enfant : la plus forte des alliances, celle qui fécondait l'avenir.

Parfois, Claire, dans un mouvement spontané et inattendu sautait à mon cou. Elle restait un long moment ainsi, la tête contre ma joue, et un jour, elle me dit : « Tu es comme mon papa. »

Elle n'avait pas prononcé ce mot, et je n'avais pas cherché à l'interroger. Ce devait être aussi pour elle un mot de douleur, et il ne devait surgir que si elle en éprouvait la nécessité. Il était parti, lui, son père, l'un des premiers et elle se souvenait de sa silhouette dans la rue. Il agitait la main. Elles étaient toutes deux, Claire et sa mère, à la fenêtre de leur maison. Et puis ç'avait été le temps des explosions, celui des hommes en noir, et ce grand silence autour d'elle et cette grande et longue nuit en elle.

— Tu m'as trouvée, disait-elle.

Je l'entraînais vers la maison. Les pierres plates

pour notre toit formaient déjà plusieurs hautes piles. J'allais commencer à les poser.

Claire me prit par la main et me guida vers ce qui serait la façade de la maison, avec sa porte et ses deux fenêtres.

Elle me montra dans la terre retournée les premières fleurs qu'elle avait plantées, belles déjà comme une promesse enfin réalisée.

Ami, ouvre ta mémoire
Laisse parler les souvenirs
Regarde le passé comme un germe d'avenir
Car l'oubli est la seule mort
Et la vie se nourrit de la vie.

Ami, noue l'alliance entre le temps accompli et celui
     à venir
Sois l'homme qui marche aux côtés d'un enfant
Découvre avec lui le miracle des choses
La douceur d'un fruit
Et la limpidité de l'eau

Ami, ne crains que le silence égoïste de la solitude
Et la répétition morose des habitudes
Invente et émerveille-toi
Que ta demeure soit le monde et ta patrie l'amour

Ami, partage avec l'enfant
La beauté souveraine de tout ce qui vit
Sois sans calcul
Seule la générosité est profit.

Le quatrième jour

Elohim dit : « Qu'il y ait des luminaires au firmament des cieux pour séparer le jour de la nuit et qu'ils servent de signes pour les saisons, pour les jours et pour les années. Qu'ils servent de luminaires dans le firmament des cieux pour luire au-dessus de la terre ! »

Il en fut ainsi. Elohim fit donc les deux grands luminaires, le grand luminaire pour dominer sur le jour, et le petit luminaire pour dominer sur la nuit et aussi les étoiles. Elohim les plaça au firmament des cieux pour luire sur la terre, pour dominer sur le jour et sur la nuit, pour séparer la lumière des ténèbres.

Elohim vit que c'était bien.

Il y eut un soir, il y eut un matin : quatrième jour.

Genèse I

I

Il y avait eu la succession du jour et de la nuit.
Ce rai de lumière à l'horizon qui s'était peu à
peu élargi jusqu'à envahir le ciel, séparer le
jour de la nuit et donner ainsi le rythme du
temps. Mais la lumière était diffuse et le ciel
demeurait couvert d'une couche parfois d'un
bleu intense, souvent grise, qui ne laissait
apparaître aucune source brillante.

J'avais commencé avec l'aide de Claire à placer
les pierres plates sur la charpente du toit. Je
couvrais d'abord les angles, posant sur ces
plaques des pierres rondes afin de les maintenir.

Je chantais. J'inventais des airs et des refrains à
moins qu'ils ne me vinssent d'*Avant,* mais je
n'en avais pas souvenance.

Je me tenais debout en équilibre sur les

poutres, j'appelais Claire, je la suivais du regard cependant qu'elle jardinait près du torrent. Je rêvais. Tout à coup, il y eut un brusque coup de vent, une série de rafales violentes. Je tentais de m'agripper, mais les pierres que j'avais placées étaient soulevées, projetées en l'air. Je ne voulais pas crier afin de ne pas alarmer Claire.

Je l'entendis qui hurlait mon nom dans le grand vent, puis je tombais, essayant de m'accrocher à la charpente, glissant et heurtant le sol.

J'ai perdu connaissance.

Après j'ai d'abord senti qu'on me caressait le visage avec une herbe fraîche. J'ai rouvert les yeux et j'ai été ébloui.

Le vent avait cessé et dans le ciel dégagé, au-dessus de moi, brillait un soleil immense qui paraissait couvrir tout le toit. La couche de brume qui avait depuis *Avant* voilé le ciel n'existait plus. Il n'y avait plus qu'un espace transparent à force de clarté et le soleil vibrant d'une lumière intense.

Claire était penchée sur moi, les traits tendus par l'inquiétude. Je me suis redressé avec peine, tout en la rassurant, en protégeant mes yeux de ce soleil nouveau.

— Le soleil, ai-je dit à Claire. Enfin le soleil. Une chaleur douce couvrait la terre et nous

108

enveloppait. L'eau du torrent ruisselait dans la lumière. C'était comme une fête générale de la nature, un épanouissement brusque. Tout ce qui vivait, paraissant tourné vers cette lumière vive qui transformait le paysage et créait un centre au milieu du ciel.

Nous nous sommes allongés près du torrent. La chaleur et la clarté donnaient une quiétude, une assurance dont je n'avais pas gardé le souvenir. Notre corps se nourrissait d'une vigueur solaire, le jour était enfin devenu pleinement le jour.

Claire jouait dans l'eau fraîche, faisant jaillir, en m'éclaboussant, mille gerbes d'étincelles.

II

Et puis il y eut la surprise de la nuit.

Elle aussi n'était plus voilée, mais lavée par le grand vent de la journée. La lune aux contours nets, à la lumière froide mais forte, semblait figer chaque chose.

Claire et moi nous étions debout, regardant l'astre nocturne monter dans le ciel, éblouis par cette perfection blanche. Pas de brise, pas de bruit, mais une nature décapée qui paraissait se reposer de la chaleur du jour dans cette clarté glacée.

Claire, le visage levé, regardait le ciel, et tout à coup elle se mit à crier : « Martin, Martin, Martin. »

Le ciel était traversé par de longues traînées laiteuses que formaient des myriades d'étoiles. J'avais oublié cette vision d'*Avant*, ces constellations et ces nébuleuses, cette Etoile Polaire et cette Grande Ourse, ce monde ordonné et infini où se perdaient les yeux.

Ils étaient à nouveau au-dessus de nous dans cette nuit que la lune rendait blanche.

Claire m'interrogeait sans fin.

Elle voulait connaître le sens de ces amoncellements de points brillants dans la voûte céleste.

J'aimais ses questions. Elle me forçait à m'interroger, à ne pas me contenter d'un simple regard.

— Cet univers, ai-je dit, est notre mesure.

J'essayais de lui faire comprendre que chaque étoile était un monde recommencé. Qu'il n'y avait pas de limites à cet infini, que là était le mystère et que nous étions comme des aveugles.

Claire m'observait, secouait la tête.

— Je vois, répondait-elle, je vois Martin. Avant j'avais la nuit autour de moi, maintenant il y a les étoiles, le soleil.

Elle montrait d'un geste de la main, la nature, le ciel, la lune.

— C'est comme nous, continuait-elle, le dehors est comme le dedans.

Elle se touchait la tête. En riant, elle me frappait la poitrine du bout des doigts.

— Tu as beaucoup d'étoiles

Elle se pendait à mon cou.

— Moi j'ai beaucoup d'étoiles et le soleil est
là.

Elle frappait du plat de sa main son cœur, puis
le mien. Elle avait la voix de vérité de
l'enfance. Elle avait la naïveté de ceux qui
découvrent.

L'univers et ses milliards d'étoiles dispersées
dans les cieux n'était que le semblable de
l'homme, un univers tout aussi vaste. Encore
plus mystérieux et miraculeux.

Mais qui pouvait dire que le ciel ne battait pas
comme une conscience, que ce monde dont
nous faisions partie n'était pas un être comme
nous, vivant et souffrant, espérant et se
développant, nous emportant dans son destin.

Je pris Claire dans mes bras.

— Tu es mon soleil, ai-je dit.

III

Le soleil change la vie.

J'avais appris à Claire à faire sécher des fruits après les avoir ouverts. La terre dont je me servais comme liant entre les pierres se durcissait rapidement, me permettant d'avancer dans la construction du toit. Et déjà toute une partie de la maison était à l'abri.

Avant d'en terminer avec la couverture, je décidai de daller le sol. Je taillais des pierres plates en forme de rectangle. Je les enfonçais dans le sol, les ajustant l'une avec l'autre, les martelant avec une branche qui me servait de masse. Puis quand le sol fut ainsi entièrement pavé, je commençai à monter des cloisons. Plus j'approchais de la fin de la maison et plus je travaillais lentement, avec parfois une sorte de nostalgie, semblable à celle qu'on éprouve quand le jour s'achève et que le soleil disparaît ne laissant que son rayonnement rouge au-dessus de la colline.

Claire percevait ces sentiments.

— Tu es triste Martin, disait-elle.

Elle était assise sur le sol, les jambes croisées. Je riais pour la détromper, mais je ne pouvais me débarrasser de cette lenteur qui maintenant retenait mes gestes. Je ne voulais pas finir vite cette maison. Le temps n'en était pas encore venu, je le sentais. Et puis, un projet qui s'achève, c'est le bout de la route. Il faut trouver un autre chemin.

— Tu resteras, Martin, quand la maison sera finie ?

Les enfants ont toujours le regard qui porte loin. Je ne répondis rien. Il est un moment où l'adulte devient un poids pour l'enfant. Où il faut que celui qui porte l'avenir s'éprouve seul.

— Je serai avec toi, ai-je répondu, tant que ce sera nécessaire, tant que tu auras besoin de moi.

Elle se leva, bondit, m'obligea à me baisser pour l'embrasser.

— Toujours, Martin, toujours.

Je savais qu'il n'en était rien. Nous nous aimerions toujours, nous ne nous oublierions jamais. Elle serait mon enfant enfin trouvé, tout le temps que durerait ma vie. Et je serai

114

pour elle celui qui, dans la nuit silencieuse, lui avait donné l'affection et rendu la mémoire et le mouvement, comme l'auteur d'une seconde naissance.

Mais ma présence auprès d'elle ne pouvait être que passagère. Parce qu'ainsi est la vie. Et qu'un jour, même si je restais, la mort devait me prendre avec Claire. Et c'était bien et c'était justice.

— Toi et moi, ai-je dit, nous serons toujours ainsi. Nous nous tenions les doigts mêlés. La séparation ne tranche pas les liens d'amour.

IV

J'achevais le toit.

L'ombre s'étendait sur les pièces et la lumière n'entrait plus que par les fenêtres que j'avais ménagées et par la porte. Des rectangles clairs se découpaient sur le sol.

Claire courait dans la maison. Sa voix et ses rires résonnaient, donnant de la vie à ces pièces encore nues, réchauffant les pierres vives.

Nous avions avec des herbes et des feuilles, des branches, aménagé deux lits que séparait une cloison. J'attendais que Claire fût couchée et je restais longtemps assis près d'elle.

— Raconte, demandait-elle, raconte Martin.

Je n'avais que des souvenirs sombres jusqu'au jour où je l'avais trouvée. Et c'était cela dont je recommençais sans fin le récit.

Avant, qu'avais-je à dire, sinon des mots de

violence et de haine, des images heurtées qui se terminaient sur le chaos pierreux et sombre ? Claire s'endormait en me tenant la main. Je dégageais avec précaution mes doigts des siens. Elle semblait s'être endormie, mais à peine avais-je quitté la pièce qu'elle m'appelait.

Sa voix le plus souvent était inquiète comme si les algues noires de l'angoisse enveloppaient son esprit. Il me fallait la bercer, m'insurger en moi-même contre ceux qui, par leurs actes et leurs mots, faisaient peser sur les enfants cette présence du malheur.

Une enfant doit être préservée comme une source des poisons de l'esprit.

Quelquefois, quand Claire tardait à s'endormir, je la prenais sur mes épaules et j'allais marcher dans la campagne. La vie calme autour de nous. Dans le ciel souvent Claire suivait les étoiles filantes s'écriant à chaque fois qu'elle en distinguait une.

M'immobilisant, je guettais à mon tour la trace brillante de ce passage, aussi bref, aussi beau qu'une vie. Et c'était peut-être cela que signifiait cet éclat fulgurant dans le ciel lumineux ? Puis Claire s'endormait posant sa tête sur la mienne, toute recroquevillée sur mes épaules, rassurée, comme si le spectacle de l'univers dans son équilibre miraculeux chassait son angoisse.

Je l'allongeais sur les feuilles sèches. Parfois je me couchais sur le sol près de son lit.
Sa respiration calme m'apaisait comme le battement régulier du monde.

V

Un soir, après avoir suivi ainsi la chute des étoiles filantes et alors que Claire dormait, je pris conscience que, dans cette maison, j'avais oublié de construire le plus important. Peut-être était-ce la trace de feu qui m'avait rappelé qu'une demeure n'est rien sans une flamme dans la cheminée. Et je n'avais ménagé aucun orifice pour cela.

Cette nuit-là je ne dormis pas. Je tournais autour de la maison. Je grimpais sur le toit. J'imaginais comment je pourrais ouvrir entre les pierres cette sortie pour la fumée.

Dès le matin, je me mis au travail. Je construisis un âtre, montai avec des pierres un conduit débouchant sur le toit. Cela me prit plusieurs jours. Et Claire m'aidait tout en ne comprenant pas ce que je construisais.

Je lui expliquais qu'un jour viendrait le froid. Le soleil brillerait moins fort. J'avais le souvenir des saisons et d'une couverture blanche qui couvrait toute la nature. Cela se produirait. Mais les enfants se laissent aller au gré des jours et c'est à l'adulte de les avertir, de les préparer et d'agir pour les protéger.

A la fin, il y eut dans la maison deux cheminées, massives, dont je devais maintenant éprouver les qualités.

Il me fallait du feu et j'avais seulement des pierres qui, frottées ensemble, ne donnaient aucune étincelle. J'essayais de mille manières sans rien obtenir d'autre que des éclats de pierre. Claire m'observait et je tentais de lui faire comprendre ce que je voulais faire naître : le feu.

Connaissait-elle ce mot ? Elle avait le souvenir des explosions. Elle voyait le soleil et les étoiles filantes.

— Tu veux le feu dans la maison ? demanda-t-elle avec effroi.

Je ris, je l'embrassai et je la rassurai. Il n'y avait pas de force ou de phénomène qu'on ne puisse plier au service de l'homme. Le feu n'était le mal qu'entre les mains de destructeurs. Il rayonnerait ici pour nous.

J'avais déjà rempli les cheminées de petites branches et de feuilles sèches. Ne manquait

120

que l'étincelle, cette petite parcelle de soleil vivant. Je me désespérais. Il me semblait tout à coup qu'il fallait que brûlent ces feux dans les cheminées pour que la maison vive vraiment.

Mais je n'avais rien pour donner la première flamme. Rien, sinon les mots d'espoir et ceux de la prière.

VI

C'est Claire qui m'a réveillé.

Le travail et l'attente m'avaient terrassé. La fatigue était pesante.

Claire me secouait.

— Ecoute, disait-elle.

C'était un roulement sourd qui venait de l'horizon et qui paraissait ébranler la terre. Les murs résonnaient. Sur les pierres du toit les premières gouttes de pluie s'écrasaient avec un bruit sec. Brusquement elles se mirent à crépiter en même temps que retentissaient tout proches les grondements du tonnerre.

Je me levais d'un bond. Claire se précipita contre moi en tremblant. J'imaginais ce qu'elle ressentait : c'était le retour des explosions d'*Avant*.

Elle cherchait du regard une cachette où

s'enfouir comme si les hommes en noir allaient survenir à nouveau.

Je la rassurais par des mots de tendresse et de courage. Je l'entraînais, malgré ses hésitations, sur le pas de notre porte pour voir ce ciel bousculé où la lune et les étoiles semblaient prises par la tourmente, prêtes à disparaître. Tout à coup il y eut la détonation sèche de la foudre tombant sur l'un des arbres proches du torrent et le tonnerre qui paraissait fendre le sol et le ciel d'un violent coup d'épaule.

Je ne craignais rien pour nous. J'avais la certitude que cet orage ne pouvait pas nous atteindre, qu'il n'était qu'un message de plus, qu'il fallait savoir écouter et comprendre. Et quand je vis que l'arbre commençait à brûler, enflammé par la foudre, je sus quel était le sens de l'événement.

— Le feu, le feu.

Je me précipitai sous la pluie qui tombait dru. J'avais pris une brassée de feuilles sèches dans l'un des foyers et je les plongeai dans les flammes qui crépitaient. Puis toujours en courant je revins vers la maison avec ces feuilles embrasées. Claire les bras levés me regardait avec effroi. Il fallait que je réussisse.

— Claire, Claire, regarde.

J'entrai vivement dans la maison, je posai les feuilles dans la cheminée. Je m'accroupis, je

123

commençai à souffler pour que le feu crépite, que les flammes s'élèvent.

Claire s'était approchée, hésitante.

— Voilà, Claire, la chaleur est dans notre maison. Elle se pelotonnait contre moi. Elle était trempée et tremblante. Les flammes commençaient à se dresser hautes, éclairant les murs.

— Le froid peut venir, ai-je dit.

Claire, les yeux grands ouverts, regardait les flammes, et je les voyais danser dans ses prunelles.

VII

L'enfant a le regard qui porte loin
Sa voix de vérité dit la réalité du monde
Ami, écoute cette voix

Elle dit que l'univers a visage d'homme
Qu'il y a des étoiles dans les yeux
Et que les yeux sont une voie lactée

Elle dit que l'infini ressemble à l'homme
Et que l'homme est comme l'infini
Ami, écoute cette voix

Elle sait mieux que toi que le miracle
Ouvre la porte à la raison
Et qu'il n'est de valeur que celle du cœur

Ami écoute cette voix
Qui pose les questions
Et connaît toutes les réponses

Apprends-lui simplement ce que tu sais
Si peu de chose
Un mot, un outil, un geste

Et l'enfant t'apprendra tout le reste
La bonté
La faiblesse

Et sans le nommer
Il te parlera de Dieu.

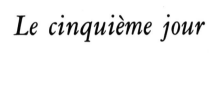

Le cinquième jour

Elohim dit : « Que les eaux foisonnent d'une foison d'animaux vivants et que des volatiles volent au-dessus de la terre à la surface du firmament des cieux ! »

Elohim créa donc les grands dragons et tous les animaux vivants qui remuent, ceux dont les eaux foisonnent selon leur espèce et tout volatile ailé selon son espèce.

Elohim vit que c'était bien.

Elohim les bénit en disant : « Fructifiez et multipliez-vous, remplissez les eaux dans les mers et que les volatiles se multiplient sur la terre ! » Il y eut un soir et il y eut un matin : cinquième jour.

Genèse I

I

Il y eut un temps de neige et nous fûmes à l'abri dans notre maison.

Les feux brûlaient dans les cheminées et quand nous sortions, nous apercevions de loin la fumée qui couronnait le toit blanc.

J'avais maladroitement construit une porte et des volets pour les fenêtres, et le plus fort du vent s'y brisait. Parfois, dans la nuit, la neige qui s'était accumulée rendait l'ouverture difficile, mais nous n'avions aucune hâte.

La maison que j'avais construite était vaste. Nous y avions entassé des fruits séchés et des grains. Le temps pouvait s'écouler. Nous pouvions prendre patience.

Un matin, en sortant, je vis que la neige autour de la maison et sur le toit avait commencé à fondre. Il faisait déjà chaud et toute la nature bruissait de la rumeur des mille filets d'eau de fonte qui ruisselaient sur le sol ou bien glissaient le long des murs ou des rochers.

Quand Claire sortit à son tour, elle fut éblouie par le soleil comme je l'avais été. Mais alors que j'avais commencé immédiatement à déblayer la neige, à me diriger vers le petit bois qui avait poussé à quelques pas de la maison et qui me fournissait le combustible pour les cheminées, Claire était restée à observer le ciel. Elle m'appela. Elle avait le bras tendu en direction de la colline. Je suivis son regard.

— Martin, Martin, disait-elle d'une voix fervente.

Le ciel était traversé par un vol de grands oiseaux blancs dont les ailes battaient lentement sur le même rythme. Ils ne volaient pas très haut et l'on pouvait apercevoir leurs becs noirs, et la forme allongée de leurs têtes. Ils étaient fascinants par leur élégante nonchalance et l'assurance de leur mouvement.

Claire bondissait, joyeuse, poussant des cris comme si elle avait voulu qu'ils lui répondent.

— Les premiers oiseaux que l'on voit, ai-je dit. Depuis *Avant*, c'était même la première forme de vie animale. Car nous n'avions vu dans ce pays de décombres, sur cette terre chaotique ni insectes, ni reptiles. Et dans les eaux du torrent, j'avais en vain cherché à pêcher des poissons. Il m'avait semblé que nous étions les deux seuls vivants de cette région trop longtemps morte.

Puis les herbes avaient poussé. Puis les fruits. Maintenant les oiseaux pouvaient revenir.

— Ils annoncent un grand retour, Claire, un grand retour. Les oiseaux migrateurs étaient une avant-garde.

La vie avec une profusion printanière allait surgir maintenant que la paix était revenue et que les fleurs et arbres poussaient sur une terre à nouveau fertile.

— Il faut guetter, a dit Claire. Ils peuvent avoir besoin de nous.

II

Elle était debout à l'aube.
Elle arpentait le champ, courait vers le torrent.
Elle attendait, impatiente, sûre pourtant qu'elle découvrirait la vie.
Un jour, je l'avais surprise avec de minces branches nouvelles qu'elle croisait. Je l'interrogeai mais elle ne voulut pas me répondre. Puis elle m'apporta ce qu'elle avait réalisé, une sorte de panier qu'elle déposait chaque soir devant la porte après l'avoir rempli de feuilles mortes pour servir de litière et de jeunes pousses qu'elle renouvelait chaque matin.
— Je suis sûre, disait-elle quand je montrais mon scepticisme.
Mais ce sont les enfants qui pressentent l'avenir.

Et j'étais troublé par l'assurance de Claire. Et moi aussi le matin, je me levais à l'aube et mon premier regard était pour le panier.

Il demeurait vide.

Autour de nous, d'ailleurs, après le passage lointain des grands oiseaux migrateurs, je n'avais découvert aucune forme de vie autre que celle des pousses et des arbres. J'essayais de raisonner Claire, d'effacer sa déception.

— Nous étions dans un monde mort, expliquai-je. Tout cela déjà — je montrai le champ, les fruits, l'herbe — nous a été donné. Contentons-nous. Souvenons-nous Claire. Elle était d'abord attentive, raisonnable, renonçait pour quelques jours à ses explorations. Puis je la découvrais qui traçait dans la terre à l'aide d'une branche des signes, et je reconnaissais le dessin d'un oiseau, ses grandes ailes étendues, son bec effilé.

— Il viendra, je l'appelle, disait-elle.

Un matin, comme je sortais le premier, un froissement me fit sursauter.

Ils étaient là, deux oiseaux blancs au bord du toit, à m'observer, immobiles, sans inquiétude, ouvrant leurs ailes comme s'ils allaient s'envoler puis les repliant lentement.

Je priai pour qu'ils demeurent.

J'appelai Claire d'une voix basse, mais avant même que j'eusse pu expliquer ce que j'avais

135

vu, elle bondissait, elle murmurait « ils sont venus ».

Mais quand elle sortit, les deux oiseaux n'étaient plus sur le bord du toit et j'en eus, pour Claire, une douleur. Je voyais ses yeux se remplir de larmes. Ses certitudes se brisaient tout à coup. Elle scrutait le ciel, me regardait. Je lisais sur son visage l'impossibilité de croire à cette réalité. Il en était une autre profonde à laquelle elle ne pouvait renoncer.

— Les voilà, les voilà, cria-t-elle.

Ils volaient au ras des blés, ils venaient vers notre maison. Dans leurs becs des herbes longues.

Je soulevais Claire, je l'embrassais.

— Un nid, lui dis-je, un nid, Claire. Ils vont ici construire un nid.

III

Désormais chaque jour nous étions à l'affût. Nous suivions le travail des deux oiseaux majestueux. Ils nous ignoraient aussi avec une tranquille et superbe indifférence. Mais ce n'était qu'apparence.

Devant la maison Claire avait rassemblé des grains de blé. Et après avoir quelque peu hésité, les oiseaux vinrent picorer, laissant Claire s'approcher d'eux. Bientôt ils prenaient les graines dans la main puis ils s'envolaient lentement, allant se poser sur le bord du toit. La vie attire la vie.

Il y eut bientôt autour de notre maison des oiseaux de toutes espèces qui se disputaient les grains que Claire préparait. Les arbres fruitiers les nourrissaient aussi et ils nichaient dans les plus hautes branches. Notre maison fut ainsi entourée d'un chœur de chants d'oiseaux et de piaillements.

Claire allait d'arbre en arbre, tête levée, parlant aux oisillons, tendant ses mains pleines de grains. Et je voyais se poser sur le bout de ses doigts cette vie bariolée.

Toute la nature était transformée par ce bruissement de la vie.

La nuit des oiseaux hululaient. Le matin d'autres annonçaient le lever du soleil. Nous savions si le ciel était couvert à l'aigu ou au grave de leur chant.

Plusieurs nids maintenant étaient accrochés à notre toit. Et ce fut un malheur pour Claire quand elle trouva devant notre porte un petit oiseau blessé, sans doute tombé, l'aile fracassée.

L'oiseau vivait encore. Elle le porta à l'intérieur, lui prépara un nid, des grains qu'elle essayait de lui faire avaler. L'oisillon criait, se traînait sur le sol et c'était pitié de suivre ses efforts pour voleter.

Nous avions laissé la porte ouverte et un matin nous vîmes sur le seuil un grand oiseau, la mère sans doute, qui hésitait à entrer, attirée pourtant par les cris de son petit. Elle s'avança enfin, lui donna de petits coups de bec sur la tête puis s'en alla.

Claire était émue, hésitante, comme si elle

138

revivait devant cette scène un adieu qu'elle avait elle-même connu.

Elle faisait de ses mains un nid, elle y déposait l'oisillon tremblant, son aile pendante. Et plusieurs jours durant, elle ne vécut que pour lui, ne me disant que quelques mots en me montrant l'oiseau.

Je tentais de la mettre en garde. Je l'avertissais.

L'oiseau me paraissait condamné.

Mais comment faire comprendre que la mort était une des faces de la vie ? Que ce raidissement que Claire percevait sous ses doigts était la preuve que la vie quittait l'oiseau, qu'il allait se transformer en cette chose inerte, et ne plus être, par son corps, qu'une partie de la matière.

Un matin, Claire me le tendit, raidi, mort.

IV

Ce fut un jour gris que celui de l'oiseau mort. Claire pleurait et je craignais que, comme l'oiseau, elle ne se raidisse, les membres tendus redevenant telle que je l'avais trouvée.

Il est difficile d'expliquer la mort à un enfant. Et qui, même quand il a quitté l'enfance, peut vraiment l'accepter ?

Ce petit corps devenu pierre avait ouvert en moi le gouffre aux souvenirs.

J'étais *Avant*, dans un combat impitoyable où les oiseaux depuis longtemps avaient quitté les lieux pour ne laisser face à face que les hommes rendus fous par la guerre.

Et le sol s'était couvert de corps devenus pierres. Et j'avais vu enfouir dans la terre comme matière des corps que la vie venait à peine de laisser. Et il y avait parmi eux des enfants. Je devais donc pour faire face à cette redécouverte de la mort trouver en moi l'énergie pour convaincre Claire. Et l'enfant a ceci de bénéfique qu'il oblige l'adulte à s'oublier, à être générosité plutôt que complaisance, à donner plutôt qu'à attendre récompense.

Nous allâmes porter en terre l'oiseau mort. La vie après le passage de la mort retournait à une autre forme de vie plus élémentaire.

Je l'avais déjà dit à Claire : la vie se nourrissait de la vie.

Elle sanglota quand nous refermâmes le petit trou que nous avions creusé dans la terre. Je voulais en marquer l'emplacement en le recouvrant d'une lourde pierre plate. Mais au moment où j'allais la placer, Claire me dit qu'elle s'y refusait.

— Il faut qu'il soit avec tout, murmura-t-elle.

Elle montrait le ciel, les herbes, les arbres, l'eau du torrent voisine.

Elle avait donc compris le sens de la mort. On se trompe toujours sur les enfants : on les imagine fermés à la réalité, enfoncés dans leur innocence et leur ignorance. Ils savent parce qu'ils ressentent et que nous sommes, nous, enfermés dans nos calculs.

Comme nous revenions vers la maison, Claire s'immobilisa.

— Ecoute, Martin.

Autour de nous, c'était le chant ininterrompu des oiseaux, celui de la vie.

V

Claire riait.

Il y eut le jour de la chèvre, celui des poissons et celui du cheval.

Un matin, en ouvrant la porte, je vis, couchée dans le panier tressé par Claire, une chèvre qui tournait la tête vers moi. C'était comme une récompense déposée là par la vie après la tristesse de la mort de l'oiseau.

Claire fut folle de joie. Je ne les voyais plus qu'ensemble, la chèvre sautillant derrière Claire, léchant sa main, l'appelant de sa voix de crécelle, et Claire courait, entourant le cou de l'animal de ses bras et l'embrassait. Elle donnait parfois de petits coups de tête contre la porte de la maison quand elle voulait entrer, ou bien elle heurtait les volets quand elle jugeait que notre sommeil avait assez duré.

Notre vie, grâce à elle, grâce aux oiseaux, devenait peuplée de mille destins que nous suivions comme ceux de membres de notre famille.

Un jour Claire allongée sur les rives du torrent m'appela.

— Ils sont là, me dit-elle.

Une vasque naturelle formait une zone d'eau calme et profonde où souvent, au plus fort de la chaleur, nous nous baignions.

Claire y avait plongé son bras et autour de sa main venaient tournoyer des poissons argent, de plus en plus audacieux, se frottant aux doigts de Claire, glissant sous sa paume.

Claire riait.

La nature était redevenue une fête de la vie.

Un jour vinrent gambader autour de la maison des chevaux trapus qui surgissaient du petit bois et s'enfuyaient quand on tentait de les approcher.

Ils galopaient au milieu de nos plantations et saccageaient une partie de notre récolte, mais quand je voulus les chasser en leur jetant des pierres, Claire s'insurgea.

Elle voulait les apprivoiser. Mais, pour cela, et telle était aussi la loi de la vie, il fallait s'emparer de l'un d'eux, tendre un piège, le priver de la liberté. Claire s'y opposa longtemps et il fallut lui faire comprendre que la

144

vie était aussi un ordre qu'il fallait établir, sans violence, mais avec autorité si l'on voulait que les moissons soient possibles, le travail productif. Je tendis donc des branches de manière qu'elles se rabattent quand le jeune cheval passerait entre elles puis qu'elles l'immobilisent.

Il me fallut attendre plusieurs jours et puis, enfin, il fut pris, entravé, et, malgré ses sauts, ses ruades, je réussis à le conduire jusqu'à la maison, à l'attacher à un pieu, à tenter de le calmer.

Mais ce fut Claire qui y réussit.

Les enfants ont la douceur au bout des doigts et la bonté dans le regard.

Elle caressait l'encolure du cheval, elle lui frottait le front. Il tournait la tête avec étonnement et je craignais qu'il ne se rebelle.

Je me tenais donc prêt à intervenir. Mais au contraire, il hennissait de plaisir, ses grands yeux naïfs fixant Claire qui lui parlait avec tendresse et lui donnait des grains qu'il léchait dans sa main.

Il avait perdu sa liberté sauvage et gagné et donné l'affection.

L'ordre de l'amour organisait la vie.

VI

Elle savait, mon enfant trouvée, parler aux animaux.

Il y eut le jour du lapin.

Il se présenta un soir, devant la porte, il trottina en remuant ses oreilles jusqu'à la cheminée devant laquelle nous étions assis. Il s'approcha, cependant que nous le regardions sans bouger, des légumes que nous avions posés sur une pierre.

Et, tranquillement, comme s'il avait été seul, il commença à ronger en dodelinant de la tête.

Nous éclatâmes de rire Claire et moi, et le lapin s'arrêta, se recula vivement, puis, s'immobilisant, nous observa comme s'il voulait nous juger.

Après quelques instants, sans hésitation, il

revint et recommença à ronger. Claire alors commença à lui parler.

Elle avait une voix comme un murmure.

Elle parlait tout en approchant les doigts et le lapin paraissait immobilisé, paralysé par le charme venu de cette voix douce. Elle le touchait et il n'avait aucun sursaut, reprenant au contraire avec une assurance nouvelle son repas, grignotant avec une vivacité gaie comme s'il savait maintenant qu'il en avait l'autorisation.

Nous vécûmes comme dans une fable.

Peu à peu la maison se remplissait d'objets que je fabriquais. Et Claire plaçait chaque jour sur le rebord des fenêtres et sur la table de pierre que j'avais construite des fleurs qu'elle cueillait. Fleurs des champs, fleurs libres d'un bleu léger comme un ciel de la saison des renaissances. Nous avions retrouvé les rythmes différents du climat. L'été de plénitude, l'hiver blanc et l'automne fauve, et cette saison vibrante qu'est le printemps. Nous marchions parfois longuement et j'épelais les visages de la vie végétale ou animale.

Le lapin nous suivait et le cheval nous accompagnait, traçant seul sa route au milieu des hautes herbes sans jamais nous perdre de vue. Puis il nous rejoignait d'un galop rapide.

Parfois je surprenais Claire pensive. Elle traçait

des lettres dans la terre, elle essayait d'écrire.
Alors je me suis assis à côté d'elle. J'ai aplani
une surface de terre sableuse.

— Je vais t'apprendre, ai-je dit.

— Je commence à me souvenir, Martin.

Je guidais sa main, je traçais des lettres,
j'écrivais des mots que j'effaçais afin qu'elle les
reproduise.

Quand elle y réussissait, elle me regardait avec
des yeux brillants d'enthousiasme.

Elle réapprenait vite.

Un jour, d'elle-même, elle écrivit un mot de
sept lettres qui fut comme un bouquet qu'elle
m'offrit. Le mot *bonheur*.

VII

L'enfant est celui qui appelle
Les forces d'existence
Elles viennent autour de lui
Comme une gerbe toujours nouvelle

L'enfant a la douceur au bout des doigts
Et la bonté dans le regard
Il peut t'apprendre l'ordre de l'amour

Et toi ami, enseigne-lui
Qu'il n'est pas de liberté sauvage
Ou bien plus gravement que la mort est passage
D'une forme de vie à une vie différente

Car la terre et le ciel
Sont un linceul ouvert
Où se rassemblent toutes les forces vivantes

149

Ami, accepte ce destin
La vie attire la vie
La mort n'est qu'un chemin.

Le sixième jour

Elohim dit : « Faisons l'homme à notre image, à notre ressemblance ! Qu'ils aient autorité sur les poissons de la mer et sur les oiseaux des cieux, sur les bestiaux, sur toutes les bêtes sauvages et sur tous les reptiles qui rampent sur la terre ! » Elohim créa donc l'homme à son image, à l'image d'Elohim il le créa. Il les créa mâle et femelle. Elohim les bénit et Elohim leur dit : « Fructifiez et multipliez-vous, remplissez la terre et soumettez-la, ayez autorité sur les poissons de la mer et sur les oiseaux des cieux, sur tout vivant qui remue sur la terre ! »

Elohim vit tout ce qu'il avait fait et voici que c'était très bien.

Il y eut un soir, il y eut un matin : sixième jour.

Genèse I

I

Claire avait dit bonheur.
Nous le vivions dans l'attente. Comme si, elle
et moi, nous espérions autre chose. Pourtant
nous n'avions aucune impatience. Chaque jour
était plein comme un fruit mûr. Je battais le
grain. J'élevais des animaux. Claire m'aidait
en chaque tâche.
Nous suivions les saisons. Tôt levés en été,
couchés tôt quand venait le froid. Le feu
brûlait sans fin dans nos cheminées et nous ne
le laissions jamais mourir, préservant ses cen-
dres rougeoyantes dans des pierres creuses.
Je bâtissais des abris pour nos bêtes. Mais
jamais de cages, Claire me l'avait interdit. Que
celui qui veut fuir s'échappe.
Et ils revenaient cheval, chèvre, oiseaux,
lapins. Claire nouait avec eux d'étranges

conversations qui me laissaient stupéfait. Elle s'asseyait à même le sol. Ils posaient leur tête sur son épaule ou dans sa paume. Et ils écoutaient son murmure.

— Que leur dis-tu ? Tu leur parles ?

Elle riait de mes questions. Elle caressait le cheval ou la chèvre.

— Ils m'aiment, disait-elle.

Je crois qu'elle avait établi autour de nous la loi d'amour. Et quand un orage venait s'abattre sur la maison, faisant résonner les pierres du toit, elle ouvrait la porte pour que nos animaux entrent dans la pièce et viennent se rassembler devant la cheminée.

Le bonheur.

Et cependant il nous manquait quelque chose. Parfois je percevais quand je rentrais des champs une tristesse calme dans les yeux de Claire. Elle ne m'interrogeait pas, mais je sentais qu'elle me demandait si je n'avais rien d'inattendu à lui dire. Elle était la vie en mouvement qui se nourrit de surprise et d'action. Et le bonheur ne peut se satisfaire de la répétition. L'enfant a besoin de jeux, l'adulte de mouvement.

La sagesse n'est pas dans l'immobilité. Il faut faire, rencontrer.

Je lui donnais tout ce que je savais. Mes rêves, mes souvenirs. Je devenais un professeur quo-

156

tidien. Et elle m'enseignait par les questions que je posais. Nous ouvrions les graines et les fruits. Nous apprenions en observant les animaux la vie du monde. Nous devenions ainsi un peu plus les citoyens de la nature.

Mais nous avions besoin de l'Autre, à notre image.

Car l'homme est fait pour partager.

II

— Si nous cherchions à savoir, dit Claire.
C'était la preuve qu'elle échappait à la peur,
que le désir de connaître l'emportait sur la
crainte. Et j'en étais heureux. Il faut être
aventureux.
Nous partîmes donc.
Nous traversâmes des prés couverts d'une
herbe haute, d'un vert vif, des bouquets
d'arbres d'où s'envolaient des myriades d'oiseaux. Nous longeâmes des rivières où nous
percevions des poissons qui longeaient la rive
et semblaient nous suivre.
Nous arrivâmes enfin sur la crête de la colline.
Devant nous, s'étendait toujours la forêt et au-
delà la mer ou le fleuve.
— Continuons, dit Claire.
Elle me précédait, marchant d'un pas résolu.

Et nous commençâmes à descendre la pente puis à nous enfoncer dans la forêt.

Le soir, nous nous couchions l'un contre l'autre. Elle se blottissait, murmurait :

— Je veux savoir, tu comprends, Martin ?

Je devinais qu'elle espérait peut-être en avançant ainsi remonter le cours du temps, retrouver les siens. Et qui sait si je n'avais pas au cœur le même espoir fou ? Nous marchâmes longtemps et nous atteignîmes la fin de la forêt. Et nous découvrîmes des tours de bois, des palissades, des pieux enfoncés dans la terre et entre lesquels des fils de fer avaient été tendus. Au centre de l'espace ainsi limité, des bâtiments de bois. Je plaquai brutalement Claire sur le sol. Il fallait voir sans être vu. Elle ouvrait ses grands yeux sur cet univers que je connaissais et dont je voulais qu'elle ignore l'horreur.

Je l'entraînai à reculons vers la forêt et, de là, dissimulés dans les buissons, nous regardâmes. C'était dans les tours des hommes en noir qui s'interpellaient et de temps à autre retentissaient les bruits d'explosions sèches. Puis, un peu plus tard, de chaque baraquement, des foules d'hommes et de femmes sortirent, chancelant, se mettant en rang.

Je ne pouvais m'empêcher de trembler. Je me mordais les lèvres pour ne pas hurler.

Nous étions aux frontières de l'enfer. Et je savais quel serait le sort de ces hommes, de ces femmes, de ces enfants.

— Je t'en prie, Martin.

Claire avait saisi mon bras, elle le secouait.

— Aidons-les !

Que pouvions-nous faire ? Nous étions, elle et moi, des survivants. Nous avions échappé à l'enfer et nous avions vu se reconstituer, jour après jour, un monde pacifique et naturel autour de nous. Les aider ? Nous avions les mains nues.

J'ai embrassé Claire, je l'ai serrée contre moi. Aider les nôtres, aider les hommes humains, c'était d'abord survivre, prolonger la vie contre eux.

J'ai entraîné Claire dans la forêt et elle marchait lentement, la tête tournée vers cette zone sinistre où régnaient les hommes en noir.

III

Et tout à coup, nous l'avons vu ensemble. Il était en face de nous, debout entre deux arbres, les cheveux bouclés tombant bas sur son front, le visage blanc, les joues creusées par la faim, les yeux dévorés par la peur. C'était un garçon qui avait dû être vigoureux. Mais il se tenait voûté comme le sont souvent les enfants battus et traqués. Il devait être un peu plus âgé que Claire.

C'est moi qu'il regardait avec frayeur. J'ai mis la main sur l'épaule de Claire. J'ai souri au garçon, j'ai dit :

— C'est Claire, elle est avec moi, nous sommes des amis, je m'appelle Martin.

Il me fixait, sembla découvrir Claire et se rassura en la voyant.

— Tu viens de là-bas ?

Je désignais l'orée sinistre de la forêt, le camp des hommes en noir.

— Tu t'es enfui ?

Je m'approchai de lui tout en parlant, mais il recula d'un bond comme un enfant sauvage. Je craignis qu'il ne s'enfuie, mais quand Claire lui dit : « viens avec nous, nous avons une maison, ce sera la tienne », il s'immobilisa. Claire le rejoignit et lui parla à voix basse comme elle le faisait avec les animaux et les plantes. J'étais resté à quelques pas.

— Il vient, me dit-elle.

Ils marchaient tous deux devant moi, du même pas et j'entendais la voix rassurante de Claire, ce murmure tendre qu'elle lui offrait pour l'accueillir. Nous ne fîmes pas halte de crainte de voir des hommes en noir nous surprendre. Nous gravîmes la colline, et Claire voulut revoir le bloc où je l'avais trouvée. Nous marchâmes sur le chemin de crête. Et elle expliqua à son compagnon qu'elle était là, dans cette cavité, et que j'y étais entré pour l'y découvrir.

— Il m'a sauvée, tu sais, dit-elle.

L'enfant me regardait avec attention, observait Claire comme s'il voulait s'assurer qu'entre elle et moi il n'y avait pas un jeu de mensonge afin de le prendre au piège.

— Il faut partir, ai-je dit.

Nous avons commencé à descendre la pente vers notre maison, traversant à nouveau les prés et les bouquets d'arbres. Brusquement, comme nous approchions du torrent, les branches s'écartèrent et nous vîmes notre cheval qui nous salua d'un hennissement s'approchant de Claire, lui donnant des coups de tête d'amitié.

— Voilà, voilà, murmurait Claire, nous sommes de retour.

L'enfant nous observait, silencieux, mais son regard avait changé.

— Je m'appelle David, dit-il d'une voix grave.

IV

Je les regardais Claire et David. Ils étaient la vie. David encore hésitant et apeuré, mais Claire le guidait vers cette contrée rassurante qu'est l'affection.

Ils s'asseyaient l'un près de l'autre, près de la porte, le dos appuyé au mur que chauffait le soleil du matin. Claire parlait et quand j'arrivais, elle se taisait comme gênée d'avoir avec David quelque chose que je ne pouvais partager. J'étais le plus vieux, l'ancien, le sage. Je souriais, je m'écartais, je chantais de joie à cette entente qui était si visible entre eux qu'elle était comme un soleil double.

David, le plus souvent, se taisait, écoutant avec une attention ardente Claire qui racontait ce que nous avions fait. Elle lui faisait faire le tour de la maison. Elle l'accompagnait au bord du torrent. Et quand la chèvre ou le lapin surgissait, elle riait, expliquant à David notre joie quand peu à peu la nature avait recommencé à vivre.

Les oiseaux venaient devant eux picorer. Et moi, j'allais au champ, je labourais, je plantais, j'étais heureux car je le faisais pour eux qui représentaient l'avenir.

L'inquiétude parfois me saisissait : si les hommes en noir s'avançaient dans la forêt, s'ils franchissaient la colline, s'ils découvraient la maison, ce serait à nouveau la nuit, le chaos. Tout était toujours possible.

Le bonheur et l'équilibre n'étaient maintenus que par un effort de courage et de volonté. Une attention aussi à tous les signes qui sont parfois annonciateurs des événements.

J'essayais d'avertir Claire d'avoir à être sur ses gardes. Mais dès que je commençais une phrase, je m'interrompais. Avais-je le droit de tendre un voile noir sur l'avenir ? D'introduire la peur et l'angoisse dans la tête de Claire et de David ?

Ils étaient le soir tous les deux assis devant la cheminée.

Je n'avais jamais vu Claire ainsi, racontant, inventant, prise dans le tourbillon de la gaieté et de la fraternité.

Claire, mon enfant trouvée, et David l'enfant échappé de la tourmente et du pays de la haine. Un soir, il se mit à parler.

V

Il venait lui aussi d'une région où *Avant* vivaient des familles avec leurs joies et leurs peines modestes et quotidiennes.
Les maisons se dressaient solides et vénérables. La paix régnait. Et couraient dans les rues les chiens et les chats.
— Nous avions deux chats, dit-il, au poil gris et blanc, nous les aimions. Ma sœur s'appelait Sarah. Un jour, le ciel s'est assombri. Le vent poussait au-dessus de la ville des nuages noirs. Il y avait, venant de certains quartiers, des bruits d'explosion. Claire serrait ses mains l'une contre l'autre. David la vit si impressionnée, si attentive à son récit, qu'il s'interrompit.
— Ce n'est pas la peine, dit-il. Maintenant c'est loin.

167

— Il faut se souvenir, dit Claire.

Elle le pressa de raconter. Elle aussi, expliqua-t-elle, elle avait vécu un temps d'explosion et de peur. On devait savoir, toujours.

J'étais assis près d'eux. Je jetais des bûches dans le feu. Je me sentais responsable de ces enfants, coupable aussi d'avoir été parmi les hommes, même si je n'avais que quelques années de plus. On juge un monde au sort qu'il réserve aux enfants.

David reprit son récit. C'était celui de Claire et c'était le mien. C'était Sarah, sa sœur, entraînée par les hommes en noir. Et les maisons qui s'effondraient dans un grand fracas et dans de grands tourbillons de poussière.

Il regarda Claire puis, dans un souffle, comme si cela était la mesure de l'insupportable, il dit :

— Un jour, ils sont revenus. J'étais seul. Ils ont pris mes deux chats et il les ont jetés, l'un après l'autre, contre le mur.

Puis il baissa la tête et il ne parla plus.

Je suis sorti dans la nuit que les étoiles perçaient de lueurs vives.

Si ce monde heureux qui m'entourait n'avait surgi à nouveau que pour qu'on persécute, qu'on massacre, alors valait mieux le chaos, une fois pour toutes. Mais je n'étais pas désespéré : si les étoiles avaient cette vivacité, si Claire et David se tenaient les mains — ainsi je les surprenais en rentrant dans la pièce —, si la vie avait repris, c'était bien la preuve que le monde pouvait être, devait être, une Maison Humaine.

Un homme, un homme humain ne devait dans la vie n'avoir qu'un seul but : construire une Maison Humaine.

Et la défendre contre les orages.

VI

L'orage, je l'ai entendu venir.

Ce fut un bruit de voix, un matin. Et le vent l'apportait de loin. Ces voix, j'en connaissais l'accent. Et il me suffisait de le reconnaître pour savoir quel était le visage et la couleur de l'uniforme des hommes qui parlaient.

Les hommes en noir avaient dû traverser la forêt. Sans doute étaient-ils parvenus au sommet de la colline et observaient-ils le territoire devant eux, ces champs, ces bouquets d'arbres, ce que nous considérions comme nôtres. Peut-être apercevaient-ils le toit de notre maison et les fumées qui signalaient nos cheminées. Ils allaient avancer afin de nous surprendre et nous allions revivre le cycle de l'enfer que nous avions connu, Claire, David et moi, chacun pour notre compte.

Je suis entré dans la maison. Claire et David dormaient l'un près de l'autre. C'est Claire qui s'est réveillée. Elle avait tressé ses cheveux en deux longues nattes. Elle m'a d'un signe demandé de me taire puis elle s'est levée avec précaution, veillant à ne pas réveiller David et elle est sortie avec moi.

Le jour était à peine levé. Tout était silencieux. Il me sembla même que j'avais dû imaginer la menace.

— Ils sont revenus, me demanda Claire.

Elle parlait avec calme et résolution. Je ne pus lui répondre, tant j'étais incertain.

— Il faudrait prendre des précautions, ai-je dit.

Le matin, la nature est comme assoupie. Le bruit d'une branche qui casse, la chute d'une pierre provoquent un tremblement dans l'air qui se prolonge et s'amplifie. Claire et moi nous chuchotions comme si nous avions peur d'être surpris. Mais le silence durait et je commençais à me rassurer quand brutalement, plus proches, les voix résonnèrent encore, impérieuses.

Je mis mes mains sur les épaules de Claire.

— Tu vas conduire David, ai-je dit.

Je lui indiquais le bouquet d'arbres. Ils devaient marcher dans cette direction. Attendre, observer, revenir quand le danger serait écarté. Je remplissais un sac de nourriture. Je l'accrochais au cou du cheval.

Claire revenait avec David ensommeillé mais qu'elle rassurait. Elle m'embrassa et nous restâmes longuement serrés l'un contre l'autre.

— Va, va, ai-je murmuré.

J'ai caressé les cheveux de David.

— Ne quitte jamais Claire, David, jamais.

Déjà, elle l'entraînait, marchant la tête tournée vers moi, résolue, mais les yeux remplis de larmes. Demain, ils seraient la vie tenace et fière que rien ne peut détruire.

Va Claire, va David.

VII

Va, ma vie tenace et fière
Mon enfant, va
Echappe à notre guerre
Je dis pour toi la prière
Et j'arrête le malheur avec mes bras, va.

Va, tu es l'avenir qui prend forme
En toi grandit le germe du futur
Qu'importe après tout si je tombe
C'est toi qui dois franchir le mur

Va, laisse battre la porte
Ne te retourne pas, avance
Telle est la loi, telle est ta chance
J'attendrai ici le destin
C'est le moment, j'ai vécu des matins
Maintenant, c'est la fin du jour qui commence.

Sois seulement généreux et fidèle
Et ne ferme jamais les yeux
Il faut oser regarder le monde
Si tu veux avec tes jeunes mains
Elever pour toi et tous les tiens
La grande Maison Humaine.

Le septième jour

*Ainsi furent achevés les cieux, la terre et toute leur
armée.*

*Elohim acheva au septième jour l'œuvre qu'il
avait faite et il se reposa, au septième jour, de
toute l'œuvre qu'il avait faite.*

*Elohim bénit donc le septième jour et le consacra,
parce qu'en lui il se reposa de toute son œuvre
qu'Elohim avait créée par son action.*

*Telle fut la Genèse des cieux et de la terre quand
ils furent créés.*

Genèse II

Je les ai vus partir, Claire et David, leurs doigts noués et j'étais apaisé.

Ils étaient la vie tenace et fière, celle qui germe, celle qui va son pas et ne s'ensable pas dans les ornières.

La vie puissante et généreuse des lendemains. Et je voyais les oiseaux suivre leur trace.

Je pouvais m'asseoir devant notre maison. Le feu n'était pas éteint.

Un jour Claire et David reviendraient ici. Dans la Maison Humaine.

Les voix se rapprochaient.

Je devais attendre. J'étais l'appât et le piège. Ils allaient me prendre, m'entraîner, me donner des coups après avoir brisé tout ce qui pouvait l'être dans la maison.

Mais le feu n'était pas éteint.

Il brûlerait aussi longtemps que vivraient Claire et David et après eux aussi longtemps que vivraient les enfants de leurs enfants, et les enfants de ceux-ci, et encore plus loin, les enfants des enfants de ceux qu'on ne pouvait même pas imaginer tant ils étaient innombrables, grains contenant le grain, germes porteurs de germe.

Déjà j'entendais le bruit que font les pas sur les cailloux.

Déjà j'entendais le bruit sec des branches que l'on casse pour avancer, et les commandements hurlés faisaient fuir les oiseaux qui nichaient dans les arbres.

Mais le feu n'était pas éteint.

Venez, hommes en noir, jetez vos mains sur moi, imaginez, parce que je ne me dérobe pas, que vous emprisonnez toute vie, saccagez, liez-moi les mains, arrachez-moi la langue, et crevez-moi les yeux.

Je vois et vous êtes aveugles

Je parle et vous êtes muets.

L'espérance est en moi comme un enfant qui vit.

Table des matières

Dépôt légal : décembre 1984
N° d'Édition : L 101. N° d'Impression : 2474-1805.

*Lithographié au Canada
sur les presses de
l'Imprimerie Gagné Ltée
Louiseville - Montréal*